GW00538088

In mare non esistono taxi

Contrasto ®
è un marchio editoriale di
© 2019 Roberto Koch Editore srl
Via Nizza, 56
00198 Roma
www.contrastobooks.com

Per i testi © 2019 Roberto Saviano
Per le immagini © Hani Amara/Reuters, p. 97; Martina Bacigalupo/Agence Vu',
pp. 156, 157; Yannis Behrakis/Reuters, p. 96; Olmo Calvo, pp. 102, 103, 106-107,
110, 111, 114-115, 118-119, 122; Enri Canaj/Magnum Photos, p. 165; Kevin Carter/
Getty Images, p. 161; Nicolás Castellano/SER, p. 145; Sara Creta/MSF, pp. 147,
152; Nilufer Demir/Getty Images, pp. 158, 160; Kenny Karpov/Sos Mediterranée,
p. 155; Asger Ladefoged/Berlinke, pp. 16-17; Albert Masias/MSF, p. 97;
Juan Medina/Reuters, pp. 162, 163; Lorenzo Meloni/Magnum Photos, pp. 33, 66,
67; Dimitris Michalakis/Reuters, p. 97; Giorgos Moutafis/Reuters, pp. 96, 98-99;
Paolo Pellegrin/Magnum Photos, pp. 38-39, 76-77, 80-81, 84, 85, 86, 88-89, 90, 91,
92; Alessandro Penso/MAPS, pp. 146, 148, 151; Giulio Piscitelli/Contrasto,
pp. 44-45, 46, 47, 52-53, 57, 58, 61, 126-127; Moises Saman/Magnum Photos,
pp. 63, 69, 70; Laurin Schmid/Sos Mediterranée, p. 144; Massimo Sestini,
pp. 10-11; Sos Mediterranée, p. 147; Andy Spyra/laif, pp. 31, 34; Carlos Spottorno,
pp. 133, 134, 137, 138, 141, 142; Nick Út p. 161; Darrin Zammit Lupi/Reuters,
pp. 94, 96

Impaginazione: Daniele Papalini
Controllo qualità: Barbara Barattolo

Questo volume è stato realizzato in collaborazione con

ISBN: 978-88-6965-786-3

Finito di stampare da EBS, Verona, nel mese di aprile 2019
e rilegato da I.M.A.G. S.p.a., Cava de' Tirreni (Sa)

Roberto Saviano

In mare non esistono taxi

con fotografie di Martina Bacigalupo,
Olmo Calvo, Lorenzo Meloni,
Paolo Pellegrin, Alessandro Penso,
Giulio Piscitelli, Moises Saman,
Massimo Sestini, Carlos Spottorno

contrasto

Questo libro è dedicato ad Alessandro Leogrande, alla sua vita trascorsa ad aprire territori, a creare attraversamenti.
Al suo racconto della disperazione dei migranti e alla strada che ci ha indicato, l'unica strada possibile: liberarsi delle frontiere, non solo quelle fisiche, ma quelle più invalicabili, che costruiamo dentro di noi.

Sommario

Tale è il bisogno di scaricare le colpe su qualcosa di distante quando la verità è che ci è mancato il coraggio di affrontare quel che avevamo davanti.

José Saramago, *L'uomo duplicato*

Quanta sofferenza. Quanto caos. Quanta indifferenza. Da qualche parte nel futuro, i nostri discendenti si chiederanno come abbiamo potuto lasciare che tutto ciò accadesse.

Alessandro Leogrande, *La frontiera*

La grande menzogna

In mare aperto basta lo schiaffo di un'onda per ribaltare un'imbarcazione. In mare aperto ti viene detto di andare sempre dritto e che lì troverai l'Italia, ma l'orizzonte muta e quell'andare dritto potrebbe non esistere, potrebbe non esserci mai, potrebbe essere est, ovest, sud persino. In mare i telefoni cellulari non prendono, servono i telefoni satellitari. In mare aperto non c'è nessuno e non c'è nessun taxi da chiamare. Taxi è un sistema di comunicazione e di trasporto comodo, veloce, metropolitano e non ha nulla a che fare con i soccorsi in mare. Immaginate persone che rischiano la vita, che stanno annegando; immaginate ora persone in un palazzo che prende fuoco, qualcuno chiama i vigili del fuoco, che portano in salvo persone, che non hanno appiccato l'incendio per poterlo poi spegnere e guadagnare spegnendolo. Allo stesso modo le Ong non sono taxi del mare perché vanno in soccorso, ma non creano la tragedia.

L'immigrazione e i migranti sono la grande menzogna utilizzata negli ultimi dieci anni dalla politica per poter smettere di parlare di politica. Ogni percorso fallito sul lavoro, sull'impresa, sulla sanità, sul fisco, sulla sicurezza, sul riciclaggio, sulle mafie è stato coperto, sostituito, talvolta motivato utilizzando discorsi sull'immigrazione. L'immigrato è il nemico che serve.

Quella che definiscono "emergenza immigrazione", e che noi potremmo ragionevolmente chiamare invece "emergenza inettitudine politica", era e resta la distrazione necessaria, il mantello con cui avvolgere la vacuità del dibattito politico per renderlo apparentemente concreto.

"Rimpatrieremo gli immigrati" e "Chiuderemo i porti" sembrano azioni tangibili che in breve potranno trovare realizzazione, eppure sopravvivono proprio nell'impossibilità di essere attuate; sopravvivono proprio nel loro eterno rimanere promesse o minacce.

Hanno iniziato a farci immaginare, come rimedio al fallimento che ci circonda, un'Italia popolata da soli italiani, quando già milioni di persone di origini diverse vivono insieme perfettamente integrate. E questa retorica della difesa delle frontiere non ha solo, come vedremo, causato la morte di migliaia di persone in mare, ma ha anche reso la vita difficilissima per centinaia di migliaia di stranieri che in Italia vivono da molti anni o di italiani figli di stranieri, assurdamente privi fino al raggiungimento della maggiore età di una cittadinanza, pur essendo nati e cresciuti in Italia.

La retorica dei porti chiusi, del dover vigilare sulle frontiere, del dare risalto alle notizie in cui a commettere reati sono cittadini di origine straniera ha generato una pericolosa recrudescenza di sentimenti razzisti che per decenni gli italiani erano riusciti a tenere a bada.

Per descrivere il razzismo, l'antropologa Paola Tabet utilizza un'immagine molto chiara: il razzismo è come il motore di un'automobile, è qualcosa che è sempre lì, dentro la società, a volte è silenzioso, ma nei momenti di crisi va a cinquemila giri. Adesso è così, non è silenzioso, tutt'altro, si sente addirittura legittimato a esprimersi, crede di poterlo fare come forma di riscatto dopo aver a lungo taciuto. E cos'è stato a innescare il motore del razzismo? Le bugie. Ci hanno fatto credere che gli immigrati stessero invadendo l'Italia e che fossero la causa dei nostri problemi economici. Ma sapete quanti sono gli immigrati in Italia? 5 milioni 234.000, l'8,7% della popolazione (dati Istat), contando anche gli immigrati europei, quelli provenienti dall'America e dal resto del mondo. Ciò vuol dire che in Italia il 90,3% della popolazione è italiana. Gli immigrati irregolari, poi, quelli su cui si fonda la propaganda anti-immigrato, sono circa 533.000 (dati Ismu 2018): in un

Paese di oltre 60 milioni di persone, si può davvero parlare di invasione?

È chiaro che non si può. E allora cosa facciamo? Lo diciamo forte e chiaro. E cosa accade? Non veniamo creduti. Qui c'è un paradosso: non facciamo politica, non cerchiamo voti e consenso, eppure non veniamo creduti. Chi prova a smontare la menzogna dell'invasione viene chiamato buonista e accusato di parlare per interesse. Dall'altra parte chi ha interesse a creare consenso, soprattutto elettorale, e per farlo alimenta la menzogna dell'invasione, viene ritenuto leale, sincero, disinteressato. In questo paradosso siamo intrappolati perché per troppo tempo è mancata la testimonianza in tempo reale di come funzionasse l'accoglienza per gli stranieri in Italia.

A rompere il muro del silenzio è sempre e solo il caso eclatante di mala gestione, seguendo la più antica regola del giornalismo: la notizia è notizia solo se negativa. Non faceva notizia la progettualità quando positiva – del modello Riace abbiamo saputo solo quando andava demonizzato e demolito –, i percorsi di integrazione riusciti, non fanno notizia gli immigrati che lavorano con contratti regolari e che pagano le tasse, ma quelli che rubano, violentano, uccidono, che vengono linciati sui social dalla politica, prima che siano condannati dalla magistratura nei tribunali. E non fa notizia la violenza subita da uno straniero, come non fanno notizia, salvo che sporadicamente, gli immigrati sfruttati nelle campagne o nei cantieri, trattati come schiavi da caporali italiani.

Allo stesso modo, le violenze subite dalle donne straniere fanno notizia solo quando avvengono in famiglia per motivi religiosi; in questo caso il dibattito si sposta dalla vittima e dalla violenza subita, alla mancata integrazione, al "che ci fanno i barbari tra noi?".

Raccontare tutto questo è difficile, smontare le menzogne è difficile, serve tempo per studiare le informazioni, veri-

Massimo Sestini
Mar Mediterraneo, 2014.
Ecco come il World Press Photo 2015 ha descritto questa foto, vincitrice della sezione news:
"Un barcone carico di profughi a circa 25 chilometri dalle coste libiche, prima di essere tratto
in salvo da una fregata della Marina italiana nell'ambito dell'Operazione Mare Nostrum (OMN).
L'operazione di ricerca e soccorso era stata lanciata dal governo italiano a seguito delle centinaia
di migranti annegati davanti all'isola di Lampedusa alla fine del 2013. Nel 2014 il numero di persone
che hanno rischiato la vita per attraversare il Mediterraneo ha subito un'impennata, a causa di conflitti
o persecuzioni in Siria, nel Corno d'Africa e in altri Paesi subsahariani".

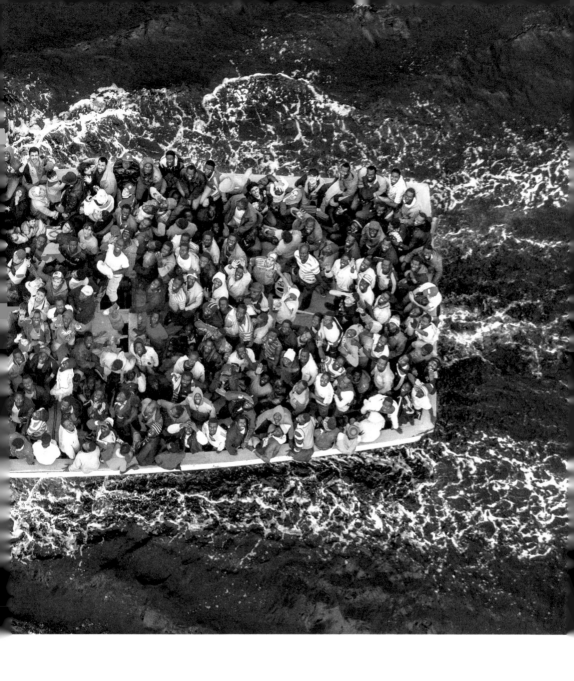

ficarle, confrontarle tra loro, senza considerare il fatto che c'è anche chi afferma che occuparsi e soprattutto preoccuparsi dei migranti faccia perdere ai quotidiani lettori e copie vendute, e che quindi non convenga parlarne. Ecco, vorrei fosse chiaro una volta per tutte che affrontare il tema migranti conviene, ma solo se lo si fa utilizzando gli slogan "prima gli italiani", "aiutiamoli a casa loro", "vengono a rubare il nostro lavoro", "vengono a delinquere a casa nostra". Se invece si prova a uscire dall'angusto perimetro del pensiero xenofobo, non conviene più, perché diventi in un attimo il ricco buonista che, invece di parlare di migranti, deve portarseli nel suo attico a Manhattan. Nessun ragionamento, solo l'insulto.

In questo clima, anche politici teoricamente in disaccordo con lo sciacallaggio anti-immigrato, si sono sentiti schiacciati dalla necessità di recuperare terreno e hanno finito con l'arrendersi alla propaganda xenofoba degli avversari. Ma ci sono momenti nella storia di un Paese in cui è più facile integrare nel proprio tessuto sociale gli stranieri che arrivano e ce ne sono altri in cui è infinitamente più difficile. Non per questo bisognava capitolare di fronte ai sondaggi, ammettere che le sensazioni sono più importanti delle statistiche, perché le sensazioni sono indotte da false notizie, da frottole inventate ad arte e diffuse. Contro la bugia non c'è altra pratica che la testimonianza.

Testimonianza

Cosa è testimonianza? Testimonianza non è solo il racconto dettagliato di ciò che accade, non è la cronaca puntuale. Testimonianza è raccogliere su di sé la conseguenza della propria decisione, rendere di carne la propria conoscenza, dilatare la propria presenza accanto alle cose. Testimonianza non è diffondere un dato, ma portare la prova con il proprio corpo di ciò che si sta dicendo. Ecco perché a essere allontanati per primi, imprigionati, condannati, accusati, vilipesi, screditati e soprattutto temuti sono colori i quali hanno la possibilità di portare testimonianza. Ma cosa significa portare testimonianza? Significa riuscire a raccontare, fotografare, ritrarre, restituendo al soggetto della propria attenzione un valore aggiunto che lo sottrae al tempo presente. Significa riuscire a trasformare ciò che accade qui e ora, in ciò che può accadere ovunque e in qualunque momento, in ciò che è già accaduto altrove, prima di oggi.

Ciò che in noi si sedimenta su quanto accade nel mondo, ci viene dal lavoro intellettuale; da chi si è messo a raccontare, da chi ha preso una macchina fotografica e ha scattato foto, pensando che quello che vedeva sarebbe in qualche modo rimasto a futura memoria. La fotografia è in molti casi archetipo della testimonianza. C'è una prova, c'è un corpo che la raccoglie, c'è la scelta: la scelta di essere lì.

Ecco, questo è testimonianza, che significa sottrarre all'oblio. Ma serve davvero a cambiare il corso degli eventi? Serve a porre rimedio nel momento esatto in cui la tragedia sta accadendo? Il risultato della testimonianza è imponderabile. E allora a cosa serve? Serve al cartografo che mentre decodifica l'agire umano potrà dire: ecco, questo lo abbiamo acquisito, questo lo abbiamo fatto, questo lo abbiamo superato, questo lo abbiamo già vissuto. La testimonianza serve a riconoscere noi stessi, serve a dirci che siamo proprio noi, che nonostante tutto ciò che abbiamo fatto e che siamo capaci di fare, siamo e restiamo esseri umani.

Questo libro nasce con il chiaro obiettivo di portare testimonianza perché, di fronte alle menzogne, lo strumento più efficace per provare a smontarle è fondato unicamente sulla testimonianza. Non attaccare, non confortare: TESTIMONIARE.

Questo libro vuole anche testimoniare come i primi a essere allontanati dai luoghi in cui si consumano tragedie sono proprio i testimoni. E testimoni scomodi sono stati, nel Mediterraneo, le Ong che con le loro imbarcazioni, per anni, hanno portato in salvo i migranti. Migliaia di uomini, donne e bambini, in loro assenza, sarebbero morti annegati. E sarebbero morti senza nessuno a poter testimoniare della tragedia appena avvenuta, senza nessuno a poter raccontare in quali condizioni chi decide di prendere il mare viene soccorso. Quando tra cento anni – diceva Alessandro Leogrande – studieranno i fondali del Mediterraneo, trovando le decine di migliaia di cadaveri e di relitti, crederanno che si sia combattuta una guerra di cui le cronache non portano traccia, una guerra che, in effetti, si combatte ogni giorno senza che se ne abbia realmente consapevolezza.

Con questo libro vi voglio raccontare la verità, ma verità è una parola diventata odiosa e che mentre la scrivo immediatamente emana balenii di manipolazione, fari fendinebbia di propaganda. Ha il gusto rancido delle pietanze prodotte in serie che sei costretto a mangiare perché non c'è altro o perché sono a portata di mano. La verità oggi è parola di cui purtroppo tutti diffidano. Abusata, lercia, utilizzata come moneta il cui unico resto è stato il sangue. Come recuperare il suo suono di grazia e rispetto? Come ritrovare una verità che sia strada di ascolto, di ricerca e non cibo premasticato, predigerito da dare in pasto a lettori e telespettatori (considerati, in fin dei conti, solo elettori) verso i quali non si nutre alcuna stima, alcun rispetto?

Per farlo non bisogna parlare di verità, non basta. Non basta più nemmeno la prova: l'unica cosa che può fare la differenza è il tempo.

La verità istantanea è un sasso in bocca che ti appaga, che ti sazia, che trasforma i tuoi vuoti in pieni. La verità nel tempo è ricerca e il tempo è l'unico rimedio perché si acquisisca consapevolezza.

Una consapevolezza che non avrà alcun valore retroattivo – quel che doveva accadere è inesorabilmente accaduto – ma che sarà strumento fondamentale per ricucire una coesione sociale oggi compromessa. Quando le classi sociali sono in contrasto tra loro, quando i populismi di destra e di sinistra creano sacche ingestibili di insoddisfazione e necessità quasi fisica di riscatto, nessuna manovra economica riuscirà a ridurre non tanto la povertà, quanto la percezione della povertà. E se i populismi vincono facendo leva su ciò che le persone nell'immediato percepiscono come causa del loro scontento, e non cercando di comprendere la complessità della vita, dovrebbero tenere presente questo: le percezioni sono mutevoli e non essendo ancorate a dati concreti, ci sarà sempre chi si sentirà più povero, ci sarà sempre un colpevole più colpevole a cui è stata comminata una pena considerata inadeguata. Ci saranno sempre scontenti da accontentare in un gioco al ribasso, in cui perdiamo tutti e in cui a vincere è solo uno: il politico che cavalca l'onda finché non ne verrà travolto.

E quindi la testimonianza che valore ha? Da sola, nessuno. Testimonianza e denuncia devono incontrarsi con il tempo, che non è solo il procedere dei minuti, delle ore, dei giorni, ma è anche e soprattutto lo spazio in cui una verità può radicarsi. Non basta che oggi un'immagine diventi virale per poter agire sul presente, ma deve trovare la sua dimensione per essere letta.

Questo libro sarà testimonianza, testimonianza attraverso le parole, ma soprattutto attraverso le immagini. Proverà a sottrarre la fotografia al tempo decretato dalla cronaca e a restituirla alla possibilità di una lettura più duratura. E il suo obiettivo non sarà certo quello di creare il migliore dei mondi possibili, che oggi mi sembra una speranza vana, quasi ingenua, ma quello di creare il migliore dei modi possibili perché la tragedia che raccontiamo non sia più tale. E il migliore dei modi è ricominciare a intervenire in mare. È liberare le persone dai campi di prigionia libici. È dismettere questa folle furbizia politica del considerare le Ong trafficanti di esseri umani, l'immigrazione un'invasione e i migranti responsabili del disagio economico e sociale che l'Europa sta vivendo.

Asger Ladefoged
18 maggio 2017.
Dopo due giorni
nella "zona di
ricerca e soccorso"
senza imbarcazioni
in vista, l'atmosfera
è cambiata
drasticamente:
l'equipaggio di
MSF ha salvato 743
rifugiati e migranti.

Le immagini dicono l'esatto opposto e gli occhi di chi ha scattato quelle foto sono occhi diversi da quelli che incrociamo ogni giorno. Sono occhi che conoscono l'uomo, perché lo hanno visto nel momento di massima fragilità. Perché lo hanno visto mentre piange e non si vergogna, mentre scappa e non si vergogna, mentre si piscia addosso e non si vergogna. E non si vergogna perché è senza scelta, perché non può fare altro che piangere, scappare e pisciarsi addosso. E per la vergogna non c'è posto.

La fotografia è testimonianza di tutto questo. Partendo dall'etimologia, scaviamo nel DNA della parola testimonianza per scoprire che forse non ne avevamo compreso il significato fino in fondo. Testis-Monium. "Testis" ha, tra i suoi diversi significati, anche quello di "prova". Il suffisso "monium" viene da "munere" e cioè "dovere", "compito".

Quindi etimologicamente "testimoniare" indica il compito di dare e di essere prova. Ecco, questo è esattamente ciò che la fotografia e i loro creatori sono: il dovere della prova. Una prova non è una formula chimica, non è l'evaporazione dell'acqua o una verità che si incarna nelle cose come la forza di gravità. La prova non è data, non la trovi meccanicamente, ma quando la incontri devi proteggerla, mostrarla, devi diventare tu stesso prova. La fotografia è ciò che resta, per sempre, del compito che la prova si è data.

Ho intervistato Olmo Calvo, Paolo Pellegrin, Giulio Piscitelli e Carlos Spottorno, le loro fotografie e le loro parole – insieme a tutte le altre fotografie contenute in questo libro – hanno aggiunto diottrie al mio sguardo e ne aggiungeranno al vostro. Li ho intervistati per comprendere quale fosse l'elemento che rende le loro fotografie testimonianza e in che misura avessero consapevolmente deciso di testimoniare la tragedia del proprio tempo. Li ho intervistati perché le loro fotografie e le loro parole sono l'unica arma che abbiamo per contrastare le menzogne.

Propaganda

Se a chi vi parla di migranti torturati in Libia, sequestrati in mare e poi schiavizzati in Italia nelle campagne, sui cantieri e dalle organizzazioni criminali, rispondete "prima gli italiani", sappiate che queste storie è proprio degli italiani che parlano: di persone che sembra non abbiano problemi a convivere con forme di tortura e di schiavitù identiche a quelle che in passato ci hanno fatto inorridire e pensare: come è stato possibile tacere di fronte a tanto orrore?

E si tace, si tace anche oggi e non solo per distrazione. Oggi si tace anche perché le menzogne costruite e diffuse sui migranti, sull'accoglienza e sulle Ong sono servite a bloccare ogni forma di empatia, di immedesimazione.

Serviva un nemico, ma non un nemico qualunque, che potesse reagire. Serviva il nemico ideale, potenzialmente onnipresente ma senza diritto di replica. I migranti e insieme a loro chiunque se ne occupi sono questo: il nemico perfetto.

Che ne sa chi è bloccato nei lager libici, chi prende il mare in cerca dell'Europa, chi viene accolto in Italia, chi lavora come uno schiavo senza contratto e con una paga da fame, chi vive in baraccopoli dove il fuoco uccide nel sonno, che ogni giorno qualcuno inventa sul suo conto nuove menzogne? I migranti non sanno di essere stati ospiti in Libia in hotel di lusso; non sanno che la Libia è un porto e un luogo sicuro; loro ignorano di essere arrivati in Italia in crociera su comodi taxi del mare; non sanno di essere mafiosi nigeriani qualunque sia la loro nazionalità; non sanno che per loro la pacchia è finita senza che sia mai iniziata. Loro non sanno di essere trafficanti di uomini, di donne e di bambini e non sanno di essere pirati del mare. No, loro credono di essere persone, spesso persone disperate in cerca di un futuro, e sperano che ci sia un luogo dove poterlo costruire. Ma soprattutto, quello che loro non sanno è che sono un'occasione, la più grande occasione in cui un'accozzaglia di politici incapaci potesse mai sperare di imbattersi per mettere in scena una perenne campagna elettorale priva di idee e di competenze.

Ci sono menzogne sui migranti divenute virali e il metodo è sempre lo stesso: prendere un'informazione verosimile, non necessariamente vera, più spesso falsa, e usarla contro il "nemico" che, se prova a difendersi, finisce col propagare la menzogna. La *negative campaigning* è una tecnica perfetta che non lascia scampo alla vittima designata perché si basa sullo studio delle paure e sulla facilità di strumentalizzarle.

L'illuminazione è questa: per vincere le elezioni che senso ha lavorare sulle cause delle paure e provare a risolverle, quando è infinitamente più facile alimentarle? Si tratta solo di mettere in campo le strategie più efficaci per delegittimare l'avversario.

All'inizio l'avversario era politico poi, sbaragliata la concorrenza, bisognava trovare un nemico eterno, universale, un nemico che potesse tenere unito l'elettorato spaventandolo.

Nasce così il migrante che invade, il migrante possibile attentatore, le Ong che favoriscono l'invasione e i finanziatori occulti delle Ong, che lavorano per indebolire l'Europa, per impoverirla con orde di barbari e poi assoggettarla. È una ricostruzione paradossale che però ha condizionato le politiche in tema di immigrazione di moltissimi governi europei.

Eppure esiste un legame strettissimo tra la capacità dei governi di gestire i flussi migratori e la capacità di gestire tutto il resto. Per ogni governo la gestione dell'immigrazione è un banco di prova: fallire su questo, significa fallire su tutto il resto. E non è consentito barare: la storia che scrivono i vincitori – o quelli che si credono tali – è una storia ridicola, destinata a essere sbugiardata. È solo questione di tempo.

Il nemico perfetto

Il migrante non è quindi semplicemente colui che dal proprio Paese di origine decide di migrare verso un altro luogo, il migrante diventa lo straniero, anche quello che ha la cittadinanza, anche quello che dovrebbe averla; il migrante è colui il quale sembra diverso da noi, non è importante che lo sia davvero. Se il migrante e il diverso coincidono, allora dobbiamo ammettere di essere circondati; questo è il principio che sta alla base della paura: il timore di essere in minoranza e quindi costretti a reagire.

Questo, ogni giorno, ci raccontano i social media di molti politici, non solo italiani e non solo europei. Ci raccontano il compattarsi del fronte della menzogna che, incapace di dare risposte politiche, offre un nemico in pasto agli affanni, alle insoddisfazioni e alle sofferenze delle persone.

Si è radicata, ad esempio, la convinzione che se in Italia arrivano meno migranti, significa che meno migranti partono dall'Africa, che meno migranti muoiono nel Mediterraneo, che meno immigrati verranno arruolati in Italia dalle organizzazioni criminali, che meno immigrati verranno tenuti a lavorare in condizioni di schiavitù nei campi e nei cantieri. E si è anche radicata la convinzione che, se questo accade, gli italiani possono stare più sereni perché il mondo attorno a loro è più sicuro. Ma è tutto falso. Profondamente falso.

In Italia nel 2018 sono sbarcate 23.400 persone, l'80% in meno rispetto al 2017 (119.400), ma a questi numeri va affiancato quello dei morti e dei dispersi in mare registrato dall'UNHCR. Nel 2018 ci sono stati 1.311 tra morti e dispersi a fronte dei 2.872 del 2017: un numero parziale e sottostimato per l'impossibilità di censire tutte le persone scomparse. Il calo in termini assoluti corrisponde, in realtà, ad un aumento catastrofico della mortalità in mare che è invece raddoppiata, se si mettono in relazione le partenze con gli arrivi.

Oggi in mare si muore il doppio di prima perché non c'è più chi presta soccorso. A settembre 2018, quasi il 20% di chi è partito risulta morto o disperso: il numero più alto mai registrato, equivalente a 8,1 morti al giorno.

Un altro dato da tenere presente è quello dei profughi partiti dalla Libia, intercettati in mare dai libici e riportati indietro. Nel 2018, la Guardia costiera libica e le imbarcazioni private hanno riportato a terra 13.568 persone. Dove sono finite? Chi si interessa della loro sorte? Su questo il Viminale ritiene di non dover dare risposte e invece ci regala dei numeri che a saperli leggere dovrebbero far tremare i polsi. I dinieghi alle domande di asilo in Italia sono saliti dal 56% al 77%, i permessi umanitari sono passati dal 27% di domande accolte al 2%. Si tratta di decisioni che incideranno in maniera drammatica sulla vita dei richiedenti asilo, ma se a questo argomento si è insensibili, sappiate che incideranno in maniera drammatica sulla vita di tutti. Cosa significa secondo voi restare senza documenti quando magari si vive in un Paese già da anni, si lavora e si aspetta di essere in regola per avere un contratto di lavoro e un affitto registrato? Sapete cosa significa lasciare nell'illegalità migliaia di persone? Significa alimentare il lavoro nero, gli affitti in nero, lo sfruttamento, la resa in schiavitù. Significa regalare manodopera alle organizzazioni criminali.

Come nascono i "taxi del mare"

Le Ong "taxi del mare" nascono per una ragione precisa, grottesca ed elementare: bisogna eliminare il "problema" migranti e l'unico modo per farlo è eliminare prima di tutto i testimoni oculari delle condizioni disumane in cui i migranti si trovano quando raggiungono le coste libiche e prendono il mare verso l'Europa. Oltre a trarre in salvo migliaia di esseri umani, le Ong, infatti, sono anche in grado di testimoniare sulle loro condizioni. Ecco quindi che eliminare i testimoni significa avviarsi a una risoluzione non ortodossa del problema. Per farlo si dà spazio e credito a una galassia di mistificatori e complottisti.

Il copyright non appartiene all'Italia, è altrove che partono e si propagano le teorie dell'invasione dell'Europa, delle Ong finanziate da George Soros che agiscono per finalità economiche insieme ai trafficanti di esseri umani. Tra le prime a insinuare dubbi sulle attività delle Ong è la Fondazione olandese Gefira, che il 16 novembre 2016 pubblica un articolo in cui sostanzialmente dice di non essere certa delle finalità filantropiche delle operazioni di salvataggio delle Ong nel Mar Mediterraneo ("Their motive can be money"), pur ammettendo che le "operazioni sono coordinate dalla Guardia costiera italiana". L'articolo si chiude così: è a causa delle Ong se i migranti "finiscono" nelle strade delle città europee "incrementando il caos, minacciando la sicurezza e innalzando il livello delle tensioni sociali nel continente". Inizia a insinuarsi nel dibattito pubblico l'idea dell'assedio, dell'invasione e si individua nelle Ong il responsabile della catastrofe, il capro espiatorio. Ma in un successivo articolo Gefira si spinge oltre, monitora attraverso marinetraffic.com le rotte delle navi di alcune Ong e giunge a queste conclusioni: "Ong, contrabbandieri, mafiosi in combutta con l'Unione Europea hanno spedito migliaia di clandestini in Europa con il pretesto di soccorrere le persone, coadiuvati dalla Guardia costiera italiana che coordinava le loro attività. I trafficanti di esseri umani contattano in anticipo la Guardia costiera italiana per ricevere supporto e ritirare il loro discutibile carico". Insomma, tutti colpevoli e complici di un crimine: Unione Europea, Guardia costiera italiana, Ong e migranti invasori.

Per avere un quadro più chiaro di chi abbia ispirato youtubers sovranisti e identitari, nonché politici italiani di ogni schieramento, nel violento attacco alle Ong, vale la pena leggere le tesi di Gefira come riportate il 2 agosto 2017 dal sito openmigration.org: "Il multiculturalismo non è solo la possibilità di mangiare etnico: è anche educazione, basi, valori fondanti. Qui sappiamo quali sono i diritti fondamentali delle persone, li abbiamo inventati noi. Se invece porti tutti gli africani in Europa, otterrai l'Africa. E non è quello che vogliono gli europei" e poi ancora: "L'immigrazione non è un problema se resti al comando, ma è solo questione di tempo e la situazione andrà fuori controllo". Noi conosciamo i numeri, sappiamo quanti sono gli immigrati in Europa, come è possibile quindi dare credito a queste teorie?

Ma gli echi non tardano ad arrivare in Italia. Il procuratore della Repubblica di Catania, Carmelo Zuccaro, al termine di un'intervista rilasciata a Matrix nell'aprile 2017 afferma di aver aperto un fascicolo conoscitivo su alcune Ong perché gli sembra molto strano che possano operare in mare con tali e tanti mezzi senza avere un ritorno economico. Getta ombre su rapporti tra Ong e scafisti e aggiunge di voler capire cosa stia accadendo perché non può non agire di fronte a "un grosso pericolo per la stessa compattezza di uno Stato come l'Italia che non può sopportare in maniera incontrollata questi flussi". A me sembra strano che valutazioni di questo tipo siano affidate a un magistrato e che sulla base di "un mero sospetto" si aprano fascicoli conoscitivi sul lavoro delle Ong. Poi altri magistrati stabiliscono che per le Ong non sussiste alcun tornaconto, di nessuna natura, tantomeno economico, ma il dado è tratto, l'attacco è talmente violento e virale che si pretende che le Ong dimostrino la loro innocenza senza che nessuno abbia dimostrato la loro colpevolezza.

Barbara Spinelli, europarlamentare, figlia di Altiero Spinelli, padre fondatore dell'Unione Europea, nella prefazione allo studio *Morte per soccorso: gli effetti letali delle politiche marittime di non assistenza dell'Ue* scrive: "Non va dimenticato in questo quadro la menzogna che circola nei Paesi dell'Unione a proposito dei rifugiati. Si parla di invasione, di esodo biblico verso l'Europa, quando basta studiare le cifre per scoprire l'evidenza: su 60 milioni di rifugiati nel mondo, un milione è fin qui giunto nei Paesi dell'Unione. È appena l'1,2% della sua popolazione.

La maggior parte dei rifugiati siriani vive oggi in Libano, Giordania e Turchia".

Non siamo invasi, non siamo circondati, si parla di crisi dei migranti per non dire che si tratta di una crisi umanitaria di dimensioni epocali e per non dire che l'Europa sta miseramente perdendo la sfida più importante dalla sua creazione.

Il 15 dicembre 2016, il *Financial Times* anticipa il contenuto di alcuni rapporti confidenziali di Frontex, l'agenzia di controllo delle frontiere esterne dell'Unione Europea, secondo cui ai migranti verrebbero date indicazioni precise, prima di lasciare la Libia, su come raggiungere le navi delle Ong. Già Gefira, nel descrivere le attività delle Ong in mare, aveva iniziato a utilizzare una terminologia ambigua, definendo chi partecipa alle operazioni di salvataggio "ingenui benefattori" (*naive do-gooders*), ma ora sembra che nessuno sia disposto a fermarsi a ragionare sui danni, in termini di vite umane, cui la campagna di diffamazione delle Ong porterà.

Il 27 febbraio 2017, il direttore di Frontex, Fabrice Leggeri, sulle colonne di *Die Welt*, sostiene che le Ong si spingano troppo vicine alle coste libiche e che per questo motivo le imbarcazioni usate dai trafficanti siano meno stabili. L'accusa alle Ong è di mettere a repentaglio le vite dei migranti.

Tutti questi discorsi partono dal presupposto che chi ascolta e legge non ha memoria, perché in realtà, come ha ricordato Riccardo Gatti, coordinatore dell'Ong spagnola Proactiva Open Arms, "i trafficanti usano sempre più spesso i gommoni al posto delle barche di legno e di ferro perché con l'operazione Sophia di Eunavfor Med, la task force istituita dal Consiglio europeo per soccorrere i migranti in mare, lanciata nel 2015, c'è stata una campagna per distruggere le imbarcazioni di ferro e legno, così le organizzazioni criminali sono passate ad altri mezzi di trasporto più economici".

E allo stesso tempo, accusare le Ong di fungere da *pull fac-*

tor è solo un modo per impedire che vengano fatti salvataggi in mare; la missione Mare Nostrum è stata chiusa sullo stesso presupposto.

Ma ancor prima che il fango raggiunga copioso le Ong e le attività di *search and rescue* in mare, Barbara Spinelli denuncia la mancanza di intervento dei mezzi di Frontex che ignorano le richieste di soccorso. Mentre le autorità italiane, in ottemperanza alle leggi internazionali e al diritto del mare, continuano a intervenire per prestare soccorso ai gommoni carichi di migranti, Frontex inizia a muoversi in altra direzione. "Il 2016 sarà ricordato – scrive Barbara Spinelli – come l'anno in cui l'Unione Europea avrà definitivamente rotto il patto di civiltà su cui fu fondata dopo la Seconda guerra mondiale".

In questo scenario, è ancora più evidente quanto scellerata sia stata la condotta di chi ha insinuato dubbi sull'operato delle Ong e quanto irresponsabile allontanarle da quel tratto di mare in cui la loro presenza riempiva il vuoto lasciato dall'Europa.

Le hanno accusate di essere trafficanti di uomini, di fare da *pull factor*, di essere buoniste per denaro, per interesse, ma la verità è che se l'Europa avesse fatto il suo dovere, le Ong non sarebbero state necessarie. Di più, l'unico fattore di attrazione non sono mai state le Ong, ma l'Europa, l'Eldorado a poche miglia dall'inferno.

Nel frattempo in Italia la politica decide di cavalcare l'onda delle menzogne, non le smentisce, nicchia, asseconda, insinua dubbi. La menzogna non avrebbe avuto lunga vita se politica e informazione fossero state unite nello smascherarla.

Ad aprile 2017 si verifica qualcosa ai limiti dell'allineamento astrale che porta tutte (o quasi) le forze politiche italiane a convergere su un punto: bisogna trattare l'immigrazione non più come una questione da risolvere, ma come il problema irrisolvibile a meno di azioni drastiche. E, soprattutto, bisogna cercare dei capri espiatori da portare sul banco degli imputati.

Le Ong sono il soggetto ideale perché mai era capitato che fossero messe sotto processo in modo tanto violento e quindi non erano sostanzialmente preparate a doversi difendere.

Il 21 aprile 2017, Luigi Di Maio condivide su Facebook un articolo pubblicato sul blog di Beppe Grillo dal titolo: "Più di 8mila sbarchi in 3 giorni: l'oscuro ruolo delle Ong private". Ma Di Maio ci mette del suo e introduce l'articolo con questo commento: "Chi paga questi taxi del Mediterraneo? E perché lo fa? Presenteremo un'interrogazione in Parlamento, andremo fino in fondo a questa storia e ci auguriamo che il ministro Minniti ci dica tutto quello che sa".

È in questo preciso momento che in Italia nasce la bufala delle Ong "taxi del mare".

Di Maio, incalzato sulla menzogna, risponderà di non aver inventato nulla, ma che quanto ha scritto era contenuto nel rapporto di Frontex "Analisi del rischio 2017", che accusava i mezzi di soccorso delle Ong di funzionare come "taxi del mare", inviati intenzionalmente verso le acque territoriali libiche per raccogliere i migranti e trasportarli in Italia. Ma ad analizzare il rapporto di Frontex, mai si parla di "taxi del mare". A pagina 32 si fa riferimento a qualcosa di totalmente diverso e precisamente a presunte "conseguenze involontarie" che metterebbero in connessione le partenze dei barconi con le attività, nelle acque a ridosso della costa libica, di Eunavfor Med e delle Ong. Ma è un'ipotesi smentita dai fatti, perché che le Ong operino in mare o meno, i flussi non ne sono influenzati. Ecco la prova: a luglio 2017, quando la campagna di delegittimazione è appena iniziata e tutte le Ong sono ancora in mare, il clan Dabbashi di Sabratha decide di bloccare le partenze dalla Libia e ci riesce.

Ma l'espressione "taxi del mare" funziona e diventa virale. E dopo i "taxi del mare" di Luigi Di Maio, arriva il Codice di condotta per le Ong impegnate nelle operazioni di salvataggio dei migranti in mare voluto da Marco Minniti, secondo cui le Ong che voglaino continuare a fare salvataggi in mare, devono sottoscrivere un documento che prevede, tra le altre norme, la presenza della polizia giudiziaria a bordo delle imbarcazioni con le armi di dotazione e il divieto di trasferire persone da una nave all'altra. La locomotiva si è messa in moto e non si arresterà; il Codice di Minniti è la risposta ai taxi del mare. Nessun cenno mai, sia in quel documento che nelle dichiarazioni dei politici coinvolti, all'importanza del principio di salvare vite in mare: come se ormai la guerra alle Ong si combattesse per altri fini. Minniti arriva a giustificare il cambio di passo con queste parole: "A un certo momento ho temuto che, davanti all'ondata migratoria e alle problematiche di gestione dei flussi avanzate dei sindaci, ci fosse un rischio per la tenuta democratica del Paese". Nessun rischio può giustificare quanto è accaduto e non ho dubbi che un giorno, il modo di procedere dell'Italia e dell'Unione Europea, verrà considerato crimine contro l'umanità per il numero di vite umane considerate sacrificabili e per aver consapevolmente violato i diritti delle persone attualmente detenute in Libia.

Medici Senza Frontiere (Premio Nobel per la Pace 1999) si rifiuta di firmare il codice di condotta; firmarlo avrebbe significato avere agenti armati sulle navi e questo poteva esporre l'equipaggio e i soccorritori a rappresaglie armate, ovunque vi fossero presidi di MSF, soprattutto dove ci sono conflitti in corso. Firmarlo avrebbe significato abdicare a principi umanitari irrinunciabili, aderendo a un sistema orientato a contenere gli arrivi che, indebolendo il sistema di soccorso in mare, metteva a rischio delle vite. Ma quello che sta accadendo, anche forse senza che gli artefici se ne rendano pienamente conto, è la creazione del "reato umanitario" che, nonostante le continue sconfitte sul piano giudiziario di chi si ostina a mettere le Ong sotto processo, fa ormai parte della nostra quotidianità, frutto di mesi di confusione, durante i quali si continua a soffiare sul fuoco della paura e ad alimentare odio.

E se l'odio nascesse dalla distrazione?

Forse siamo di fronte a dinamiche psicologiche semplici, basterebbe rileggere *Psicologia delle folle* di Gustave Le Bon. Di fronte al senso di colpa d'essere incapaci di conoscere e di agire, dinanzi a centinaia di bambini che annegano nel Mediterraneo, si accusa chi agisce. Più è semplice la lettura, più verrà adottato quel bersaglio. Manca il lavoro? Colpa degli immigrati. Aumentano i crimini? Colpa degli immigrati. Anche se i dati ci smentiscono, anche se si ha una falsa percezione del problema. Furbescamente chi soffia sulla paura, sul razzismo, vuole approfittare dell'enorme possibilità distraente del dramma immigrazione. Se il problema sono gli immigrati, l'incapacità economica di far ripartire il Paese, di snellire le dinamiche burocratiche, di contrastare il crimine organizzato diventa un corollario.

E chiunque abbia speso una parola in difesa delle Ong è finito bersagliato dalle più basse menzogne, sommerso sui social dalle più comuni banalità: un profluvio di "portateli a casa tua", "vi fate pagare per fare le anime belle", "buonisti".

"La storia degli uomini – scrive Vasilij Grossman in *Vita e destino* – non è dunque la lotta del bene che cerca di sconfiggere il male. La storia dell'uomo è la lotta del grande male che cerca di macinare il piccolo seme dell'umanità. Ma se in momenti come questo l'uomo serba qualcosa di umano, il male è destinato a soccombere". Il seme dell'umanità è piantato nella carne di chi pone un argine alle menzogne, senza questi germogli siamo fatalmente perduti.

Le immagini e le parole che seguiranno sono il tentativo di tutte le persone che ogni giorno dedicano del tempo a queste storie, che approfondiscono e che non si fermano al brusìo di fondo, di preservare il piccolo seme dell'umanità.

Da dove e perché fuggono

Il pensiero è ai barconi. Corpi neri con giubbotti di salvataggio arancioni. Come se affiorassero dal mare per finire in mare. L'immaginazione non porta mai la propria curiosità verso il momento precedente alla partenza.

Ma se ci si attarda ad almanaccare sulla vita precedente al viaggio, spesso si liquida con un superficiale presupposto la questione, ritenendo che chi decide di intraprendere un viaggio di sola andata verso l'Europa avrebbe in realtà davanti a sé almeno due opzioni: partire, appunto, ma anche rimanere. Si calibra ogni giudizio sulla propria esperienza personale, si fatica a comprendere che la condizione media di un europeo non è paragonabile a quella di chi nasce in uno qualunque dei Paesi da cui ha origine l'esodo. Tutto questo accade perché misuriamo le partenze sulle nostre partenze e le ragioni che spingono le persone a cercare una vita migliore, sulle ragioni che portano chi conosciamo a lasciare magari il Sud Italia per il Nord Italia alla ricerca di un contratto decente di lavoro, o l'Italia per il resto del mondo per provare a non restare precario e sottopagato a vita.

Noi italiani siamo migranti economici. Tutti gli italiani che conoscete e che hanno lasciato il loro luogo di origine, lo hanno fatto per ragioni unicamente economiche. Da noi non esistono persecuzioni religiose, non esistono etnie oppresse, non esistono discriminazioni legate alla propria sessualità, o meglio esistono, ma non si finisce in galera per queste. Non si viene banditi dalla società perché non si riesce ad avere figli, non si viene condannati, lapidati, vessati perché si è compiuto adulterio. Da noi non si usa lo stupro come arma di guerra, da noi si partorisce negli ospedali e se si sta male si

Andy Spyra
Maiduguri, Nigeria, 28 marzo 2016. Zainab e Isa. Zainab è stata rapita da Boko Haram; in uno dei loro campi si è sposata con un combattente che l'ha violentata e messa incinta.

viene curati gratuitamente. Da noi la scuola è garantita a tutti ed è obbligatoria, da noi ci sono leggi e ci sono forze dell'ordine e magistrati che hanno il compito di farle rispettare. Da noi c'è tutto questo, eppure quanto vorremmo che le cose andassero meglio? Pensiamo che molto di ciò che ci circonda non funzioni o funzioni male, e spesso abbiamo ragione a crederlo. Riteniamo che si possa amministrare meglio, gestire meglio le risorse economiche, che si possa arginare la piaga della corruzione e che le mafie non siano contrastate in maniera efficace. Abbiamo idee abbastanza chiare sulla realtà che viviamo ma, al tempo stesso, non abbiamo alcuna idea su come le cose funzionino altrove, eppure crediamo di saperne abbastanza per poter dire: "Voi che volete accogliere tutti in Europa, perché invece non li aiutate a casa loro?".

A oggi, gli unici a portare aiuto in alcune delle aree del mondo da dove le persone partono con la speranza di un futuro migliore sono le Ong e le organizzazioni religiose. Punto. L'unica cosa che gli Stati nazionali riescono a esportare non è aiuto, ma armi. E come possiamo, mi domando, esportando armi, non farci carico delle conseguenze?

I dati che fornisce il SIPRI (Stockholm International Peace Research Institute) sulla vendita di armamenti è illuminante. Il SIPRI prende in esame le esportazioni e le importazioni globali di armi esaminando l'andamento del mercato nell'arco di 5 anni. Paragona inoltre l'ultimo quinquennio a quelli precedenti e questi dati, al di là delle analisi del mercato delle armi Paese per Paese, ci danno informazioni cruciali per capire qual è la direzione verso cui ci muoviamo.

Il trend di import-export di armamenti nel rapporto 2014-2018 ci dice che rispetto al quinquennio precedente il volume è aumentato del +7,8% e del +23% rispetto al quinquennio precedente ancora. Le armi continuano a essere vendute e il mercato è in crescita costante: a cosa pensiamo che

Lorenzo Meloni. Al-Raqqa, Siria, ottobre 2017. Vista del centro della città.

servano le armi? Come crediamo che si possano gestire situazioni di conflitto in presenza di un massiccio arrivo di armi? E riusciamo a farci un'idea su chi siano le prime vittime dei conflitti in cui viene fatto uso delle armi che gli Stati Uniti, la Russia, la Cina e l'Europa producono ed esportano? Non ci rende meno colpevoli sapere che l'Italia è attualmente "solo"

Andy Spyra
Maiduguri, Nigeria, 23 marzo 2016.
Gbenga è stato rapito da Boko Haram dal suo villaggio natale di Kirenowa, a nord-est della Nigeria, insieme a suo cugino Mohammed. Per otto mesi è stato costretto a guardare decapitazioni di massa, a studiare il Corano e lavorare nel loro campo.
Gbenga ora vive con il fratello a Maiduguri mentre i suoi genitori sono ancora dispersi. La situazione a Kirenowa rimane instabile, impedendogli di tornare a casa.

al nono posto tra i primi dieci esportatori globali di armi. Non ci rende meno colpevoli sapere che la fetta di mercato che ha l'Italia è del 2,3%, non ci assolve l'informazione che il mercato delle armi italiane ha subìto una contrazione (-6,7%). Le nostre armi arrivano principalmente in Turchia, in Algeria e in Israele. Il Medio Oriente è l'unica area del mondo dove le esportazioni di armi continuano ad aumentare e l'Italia contribuisce a questo aumento, così come un'arma su due diretta in Africa va in Algeria.

Ora, come possiamo pensare di partecipare a un mercato, come quello delle armi, che è in continua espansione, senza volerne in alcun modo subire i contraccolpi? Perché crediamo, noi europei, di poter impunemente esportare guerra senza doverci far carico di chi paga, sulla propria pelle, le conseguenze?

Sembra che la nostra consapevolezza si fermi al non accettare i flussi migratori, delle cui cause, però, siamo corresponsabili. "Aiutiamoli a casa loro", alla luce di queste informazioni, non sembra la peggior beffa possibile? Non sembra la prova di forza di chi può decidere della vita e della morte di altri esseri umani, che magari si trovano a decine di migliaia di chilometri, senza sentirsi minimamente responsabile?

In questo scenario, la prima vera causa dell'esodo è la miseria conseguenza dei conflitti. E la miseria non è tollerabile, non ci si può abituare a vivere in miseria e gli italiani nel mondo, i discendenti degli italiani che hanno lasciato il loro Paese negli ultimi due secoli, sono i primi testimoni di questo assunto. Dopo la miseria c'è il rischio sociale, le persecuzioni etniche e religiose, e persino il servizio militare che, in molti Paesi, è un vero e proprio rapimento di Stato. In Eritrea la leva, compiuti i 17 anni di età, è obbligatoria sia per gli uomini che per le donne e non conosce limiti di tempo. Il passaporto viene rilasciato solo dopo il compimento del sessantesimo anno di età. È normale vivere così?

Però le cause sembrano non interessarci, ci interessa il momento dell'arrivo di migranti in Europa e si cerca di capire, con scarso successo sul piano pratico, come evitare nuovi ingressi. Si scorge lo straniero solo quando disturba l'orizzonte quotidiano, solo quando disturba l'immaginario scontato che abbiamo piantato nel cranio e ci sembra che non stia morendo di fame. Il corpo non denutrito finisce per diventare propaganda politica, come se fosse così difficile capire che per partire, per attraversare il deserto, per sopravvivere ai lager libici, bisogna avere un fisico non compromesso da salute cagionevole o malattie. È ovvio che chi parte e quindi chi arriva, se è ancora vivo dopo tutto ciò che ha vissuto, è solo perché ha un fisico forte. Lo stesso accadeva anche agli immigrati italiani che decidevano di andare a lavorare in Germania, in Svizzera, in Belgio o negli Stati Uniti. Di più: non potevano partire gli affamati, né chi non avesse alcun mezzo di sussistenza. Chi parte e quindi chi arriva, non è la popolazione che sta all'ultimo posto della scala sociale. Chi vive in profonda indigenza non troverà mai i mezzi per poter intraprendere il viaggio verso l'Europa. A partire sono persone che ipotecano case, che chiedono prestiti; sia chiaro, nulla a che fare con il benessere, ma è una sorta di spazio intermedio tra la miseria assoluta e un primo passo di autonomia, quella autonomia che porta a decidere di andare via.

Non potrebbero usare le poche risorse che hanno e investirle nel loro Paese? Già immagino questa domanda e la risposta è no. Non possono farlo e, anche qui, non ci sono paragoni possibili con i laureati del Sud Italia che decidono di emigrare al Nord perché gli anni di disoccupazione sono un peso sempre più insopportabile, o con i ricercatori italiani che, dopo tanti anni di gavetta e sfruttamento negli atenei italiani, decidono di accettare assegni di ricerca all'estero. Chi lascia l'Africa per l'Europa non ha nulla in comune con le centinaia di migliaia di nostri connazionali che ogni anno lasciano l'Italia per trovare realizzazione altrove. Chi lascia il Congo lo fa perché in un Paese in guerra civile nessun investimento è possibile. Un dettaglio: dal Congo importiamo cobalto ma non vogliamo le persone. Dall'Etiopia, dal Madagascar, dalla Somalia, dal Burundi si parte principalmente a causa della siccità. Dal Sud Sudan e dalla Repubblica Centrafricana si parte perché non è possibile ipotizzare un futuro in aree colpite da continue guerre civili. Così come si parte dal Camerun, dalla Nigeria, dall'Uganda, dal Kenya.

E mentre blocchiamo le persone in mare, mentre tolleriamo che in Libia per conto nostro siano tenute in stato di reclusione illegale e di schiavitù oltre mezzo milione di persone, mentre esportiamo in Africa armi contribuendo alla sua instabilità politica, nella nostra vita quotidiana c'è tanta Africa, anche se nessun governante sarà mai così onesto da venircelo a dire. Nelle merendine che mangiamo c'è il cacao africano, nei nostri smartphone c'è il coltan; i nostri parquet sono fatti di iroko, il legno delle foreste africane; le piante italiane crescono con i fertilizzanti esportati dall'Africa; la bauxite con cui si costruiscono gli aerei in cui viaggiamo e le lattine da cui beviamo è tutta africana. Si muovono le cose che ci permettono di vivere, perché non dovrebbero muoversi le persone? E il cortocircuito arriva quando, solo con un telefonino, un ragazzo liberiano o del Togo o del Benin si rende conto che altrove, nel mondo, non ci sono semplicemente più possibilità, ma ci sono le uniche possibilità. E allora che fare della sola vita che hanno a disposizione? Voi cosa fareste?

Paolo Pellegrin. Darfur, Sudan, 2007. Veduta aerea dei campi profughi vicino a El Geneina.

Harraga.
Conversazione con Giulio Piscitelli

La fotografia di Giulio Piscitelli, napoletano, 38 anni, mi ha particolarmente colpito per la capacità di raccontare la frontiera, sia quella interna sia quella esterna a noi.
Quello di Giulio è un tipo di sguardo in cui c'è sempre una tensione. Nei corpi, nei luoghi, tra ciò che è, ciò che potrebbe essere e ciò che è diventato. Il luogo della frontiera nelle foto di Piscitelli è un luogo di speranza e dannazione.

Cosa ti ha portato a voler fissare il volto duro della questione migratoria per così tanto tempo?

La migrazione è stata il primo grande tema giornalistico che ho affrontato. Mi ci sono avvicinato a Napoli, per caso, incontrando delle persone senza fissa dimora di origine ghanese. Ho iniziato a seguirle per qualche giorno per conto di un'agenzia con la quale collaboravo al tempo. Nel frattempo, tentavo di seguire l'attualità giornalistica e mi sono ritrovato a confrontarmi con una realtà che andava in un certo senso in parallelo con il mio secondo lavoro, che a quei tempi era un impiego da archivista presso un archivio storico: in quel momento stavo archiviando delle fotografie dell'emigrazione italiana verso l'America.

Era il periodo delle Primavere arabe e, guardando la televisione, assistevo come tutti a quello che stava avvenendo a Lampedusa. Inizialmente, quasi inconsciamente, feci un parallelo tra le fotografie in bianco e nero che stavo archiviando e quello che stava accadendo a pochi passi da noi. Come giornalista cercai immediatamente di raggiungere Lampedusa e nel 2011 mi ritrovai al centro della narrazione epica del nostro periodo. È così che è nato il mio interesse per il tema.

Negli anni ho studiato molto, informandomi e documentandomi anche attraverso la fotografia. Non conoscevo in maniera approfondita la materia, non sapevo quali fossero le cause e le motivazioni degli esodi degli ultimi anni. In quel momento non stavo ancora ragionando su un progetto coerente sulla questione. Lampedusa è stata un'occasione. Coprendo una news, mi sono reso conto che il tema era molto più ampio e, rientrato a casa, ho pensato che potesse diventare qualcosa di importante da approfondire. Negli anni, poi, ho capito che era un discorso molto variegato e complesso, che ancora oggi non smette di interessarmi. Fotografare i migranti è un modo per conoscere la realtà.

Come ti ha cambiato essere lì?

Tutti questi lavori fotografici, più che cambiato, mi hanno reso estremamente critico nei confronti di tutto quello che vedo intorno a me e soprattutto mi hanno dato la possibilità di rendermi conto di quanto la società in cui io vivo sia una società veramente fortunata. Dal secondo dopoguerra in poi viviamo in un Paese relativamente stabile, dal quale non è strettamente necessario emigrare per sopravvivere. Ovviamente, poi, ci sono casi come quello del Sud Italia o della città in cui vivo, Napoli, in cui siamo tutti emigranti, ancora oggi. Studiare e approfondire questo tema mi ha fatto capire meglio anche la società in cui vivo e nella quale sono nato, che è da sempre una società di migranti. Il parallelo è stato abbastanza semplice. L'immigrazione mi ha dato anche la possibilità di creare un ponte ideale tra i ragazzi tunisini che decidono di venire in Italia e quei miei amici che decidono di andare a vivere a Londra.

Hai vissuto anche un'esperienza di viaggio in mare su un barcone...

Sì, nel 2011, dopo la prima parte di copertura degli eventi di Lampedusa, venni a sapere che c'era un grosso esodo di persone in fuga dai bombardamenti in Libia verso la Tunisia. Così, mi avvicinai alla mia prima crisi umanitaria come fotogiornalista e decisi di andare al confine tra Tunisia e Libia. Mi ritrovai in un enorme campo profughi, il Choucha Refugee Camp, che in meno di una settimana si riempì di quasi 500.000 persone. Si trattava in gran parte di lavoratori stagionali, per lo più subsahariani o bengalesi, che prima dello scoppio della guerra lavoravano in Libia come operai.

Da un giorno all'altro queste persone si erano ritrovate a essere doppiamente migranti: erano migranti per ragioni economiche, erano arrivati in Libia attirati dalle possibilità di lavoro date dal petrolio; in seguito allo scoppio dei conflitti divennero rifugiati.

Dopo una settimana di documentazione nel campo profughi, con un amico tunisino con cui viaggiavo, che vive a Napoli e che si occupa di integrazione e mediazione culturale, cercai il modo di avvicinare un contrabbandiere, un vero e proprio organizzatore di viaggi clandestini. In pochi giorni il mio amico trovò una persona disposta a incontrarmi. Era la prima volta che mi trovavo in una situazione del genere, non avevo mai avuto a che fare con un trafficante, una persona che gestisce uomini muovendo anche tantissimi soldi. Riuscii a parlare con quest'uomo solo perché ero stato presentato da questo amico comune, una persona di cui lui si fidava e che garantiva per me che non fossi un poliziotto o uno volesse arrestarlo.

Quando lo incontrai gli chiesi di farmi vedere l'imbarco dei migranti. Lui mi rispose che, volendo, avrebbe potuto imbarcare anche me. Gli dissi che ci dovevo pensare, mi presi un paio di giorni e nel frattempo valutai anche il costo dell'impresa. Inizialmente mi erano stati chiesti tremila euro per il viag-

Giulio Piscitelli
Deserto del Sahara,
confine tra Egitto,
Libia e Sudan,
maggio 2014.
Un gruppo di
profughi eritrei
attraversa il deserto.

Giulio Piscitelli
Deserto del Sahara, confine tra Egitto, Libia e Sudan, maggio 2014. Profughi eritrei in viaggio attraverso il deserto dopo essere stati salvati da una milizia locale. Prima di imbarcarsi verso l'Europa, i migranti fuggiti dall'Africa Orientale devono attraversare il deserto del Sahara, affrontando spesso torture, violenza e prigionia.

gio, ma non li avevo e proposi di poter pagare lo stesso prezzo che pagavano i migranti, invece di quello che mi veniva chiesto in quanto giornalista. Non molto tempo dopo lo richiamai un po' titubante e dissi che volevo imbarcarmi. Da Tunisi mi recai a Zarzis, entrai in contatto con una persona che mi portò in una *safe house*, una di quelle case dove vengono ammassate le persone in attesa di imbarcarsi. Rimasi lì per circa otto giorni, ci spostavano da una casa all'altra.

Ci furono due falsi imbarchi: una volta la barca era troppo piena e un'altra volta non si riuscì a raggiungere il numero di persone per riempire l'imbarcazione. Era l'immediato post-rivoluzione, quindi gli organi di polizia erano in stato di allerta, in quei giorni avevano appena fermato e arrestato un gruppo di migranti che stava per partire. Per questo il *passeur* (colui che conduce i migranti attraverso la frontiera, *ndr*) decise di trattenerci più a lungo, rimandando la partenza e costringendoci a

tornare indietro più volte. Ero con un gruppo di ragazzi molto giovani, quasi tutti ventenni, molti anche più giovani di me, che all'epoca avevo ventisette anni.

Dopo circa una settimana la situazione all'interno della *safe house* si era fatta abbastanza tesa, le persone temevano di non riuscire più a partire. Normalmente le partenze avvenivano dalla spiaggia di Djerba, ma la situazione quella volta era talmente incandescente che una notte ci trasportarono su un carro da bestiame al porto di Zarzis alle quattro del mattino, imbarcandoci direttamente da lì su un peschereccio. Partii con altre 120 persone circa. È stata una delle esperienze più forti della mia vita. Il viaggio è durato circa una giornata e mezza. L'attraversamento in nave dalla Tunisia, in realtà, sarebbe più breve, ma i motori sovraccarichi di quelle imbarcazioni vanno molto piano. Il nostro motore si fermò due o tre volte, imbarcava acqua. La mattina dopo fummo recuperati dalla Guardia di Finanza che era stata allertata da una mia telefonata, dopo che il mio cellulare aveva iniziato a nuovamente a funzionare. Al risveglio, dopo la nottata in mare, tutto quello che vedevamo era una strisciolina di terra all'orizzonte, ma la barca era ferma, il motore non andava più. Resisteva solo la pompa di sentina, di cui ho scoperto il funzionamento proprio in quell'occasione. Nessuna barca è totalmente immune dal problema dell'accumulo di acqua in sentina; di solito per evitare che l'acqua imbarcata sul fondo sia eccessiva ci si affida a una pompa di sentina, che la butta fuori quando il livello sale troppo. Ovviamente la pompa funziona finché il motore va; se il motore smette di funzionare, la barca si riempie d'acqua. Ricordo che, per l'intero viaggio, due o tre persone nel vano motore buttavano in mare l'acqua con dei secchi e il loro lavoro praticamente ci ha salvato la vita. Nel frattempo, tutti i miei compagni di viaggio mi chiedevano insistentemente di chiamare i soccorsi, convinti che io avessi un telefono satellitare. Ma eravamo in mezzo al mare e il mio telefono, che era un telefono normale, ancora non prendeva. Iniziò ad esserci campo solo quando ci avvicinammo al lembo di terra che vedevamo in lontananza. Finalmente riuscii a chiamare il 112 e a spiegare che ero un giornalista imbarcato su una nave alla deriva con altre 120 persone.

Eravate tutti uomini?
C'erano tre donne.

Mal di mare?
Tantissimo, terribile.

Tutti vomitavano?
Sì, quasi tutti. Il problema principale su quelle imbarcazioni è che non ci si può muovere, quindi praticamente ti vomiti addosso.

E invece con la pipì come facevate?
La facevamo nelle bottiglie. Questi problemi generalmente riguardano più le persone che viaggiano sottocoperta. Sulla

barca su cui viaggiavo io c'erano solo posti all'aperto, al coperto c'era il vano motore e basta. Ma nelle imbarcazioni partite dalla Libia che si sono viste in tanti reportage di questi anni, e come è stato spiegato più volte, i disagi maggiori li vivono le persone che fanno il viaggio in stiva.

Quei posti sono, in un certo senso, di seconda classe?

Questo non lo so, perché per mia fortuna non ho fatto quel tipo di viaggio, che dev'essere senza dubbio più duro, però immagino che avere un posto dove riesci almeno a respirare costi di più.

Le dinamiche di imbarco, poi, cambiano molto da Paese a Paese. La realtà della Tunisia non è la realtà della Libia attuale. Il *passeur* che organizzava i viaggi dalla Tunisia in gran parte imbarcava nordafricani, algerini, tunisini, libici. Un migrante tunisino ha un trattamento diverso rispetto a un migrante dell'Africa subsahariana. Questi ultimi spesso sono trattati come animali, come vere e proprie merci di scambio.

L'acqua a bordo c'era?

A bordo c'erano acqua, latte, biscotti, che finirono però quasi subito. I ragazzi erano molto giovani e, nelle prime ore di viaggio, si lanciarono in grandi festeggiamenti per la riuscita partenza. Cosa che poi portò tutti a dare di stomaco. Io ho cercato di mangiare il meno possibile, ma durante il viaggio si hanno comunque problemi di stomaco. Siamo stati fortunati perché il mare non era particolarmente agitato.

Chi è venuto a salvarvi?

Prima la Guardia di Finanza, poi i Carabinieri e infine la Guardia costiera.

Due motovedette della Guardia di Finanza recuperarono l'intera imbarcazione.

Erano insospettiti dalla tua presenza?

Il drappello delle forze dell'ordine del centro di prima accoglienza di Lampedusa mi fermò per accertamenti e mi chiese in maniera del tutto illegittima (io ai tempi ero già un giornalista tesserato) l'intero pacchetto di foto che avevo scattato per fare un controllo. Mi domandarono se preferivo che controllassero le foto lasciandomi poi le schede o che bloccassero le schede aspettando la risposta del giudice per sapere se le potevano trattenere o meno. Ovviamente feci visionare le foto per non perdere il lavoro per cui avevo appena rischiato la vita. Si lamentarono pure per il formato delle immagini: io scattavo in formato RAW, non in JPG, e quindi le foto andavano convertite per poterle vedere. Mi cancellarono quasi una scheda, che per fortuna recuperai, e mi chiesero come ero venuto in contatto con il contrabbandiere. Gli raccontai le pochissime cose che sapevo: che era un uomo che si faceva chiamare Obama ma, in realtà, il suo nome era Osama e che chiedeva ai migranti circa 900/1.000 euro a persona per il viaggio.

Il tuo libro si chiama *Harraga*. Cosa significa?

Harraga è un termine dialettale utilizzato in alcune zone del Nord Africa, tra cui Tunisia, Marocco e Algeria. Si riferisce alla persona che brucia i documenti per poter attraversare la frontiera, che "brucia le frontiere": colui che lascia il suo Paese in cerca di speranza altrove brucia i confini, ovvero li attraversa, scavalca e sogna ardentemente un futuro nuovo. È un termine che ho appreso studiando su alcuni libri che affrontano la questione migratoria, tra cui quelli di Gabriele Del Grande, una delle prime persone che hanno approfondito il tema in maniera esemplare. Volevo un termine che riuscisse a raccontare la necessità che queste persone avevano di attraversare la frontiera nonostante fosse invalicabile.

Le foto del libro nascono inizialmente come copertura di

diversi eventi giornalistici slegati tra loro. Quando ho iniziato a considerare questa serie di fotografie come un progetto
compiuto e coerente, ho pensato al titolo *From There to Here*.
Ma *Harraga* sintetizza molto meglio quello che ho voluto raccontare. In una sola parola è condensato un intero concetto.

**Hai coperto anche le rotte migratorie nel deserto,
non soltanto gli arrivi e i viaggi per mare.**

Il deserto, che per un migrante spesso è la prima tappa del
percorso migratorio che parte dall'Africa subsahariana, in realtà è stata una delle ultime parti del mio progetto fotografico.

È una storia che ho sognato di coprire per molto tempo. L'attraversamento del deserto è una zona buia e spesso
sconosciuta della questione migratoria e non si riesce a parlarne facilmente. Nel 2014 ho avuto la grandissima fortuna
di realizzare quella parte di lavoro in assignment per *Vanity
Fair Italia*. Non avrei potuto realizzare quel reportage senza di
loro, per via di una serie di problematiche sia economiche che
logistiche.

Non ci sono stime esatte dei morti nel deserto proprio
perché sono luoghi per lo più inaccessibili, ma le persone che
perdono la vita nella traversata sono moltissime (circa 2.500
all'anno).

Sono due le rotte principali che passano per il deserto del
Sahara verso la Libia. Una è quella che attraversa il Niger ed
è in genere un po' più accessibile. Quella che parte da Khartum, in Sudan, è invece una delle più terribili ed è utilizzata
soprattutto da profughi provenienti dal Corno d'Africa: suda-
nesi, somali, etiopi ed eritrei. Questa rotta è battuta da milizie,
trafficanti di uomini. In Libia poi c'è la polizia di frontiera
che arresta gli uomini per poi rivenderli ai contrabbandieri. Le
tratte sono gestite da intermediari e trafficanti, e durante il mio
lavoro sono riuscito a conoscere e parlare con una di queste

Giulio Piscitelli
Mar Mediterraneo,
aprile 2011.
Oltre 100 migranti
tunisini imbarcati
al porto di Zarzis
attraversano lo
stretto di Sicilia
verso Lampedusa.

persone, un eritreo che stava ad Ajdabiya, in Libia, e che mi ha raccontato il funzionamento terribile di questi traffici umani.

I contrabbandieri cercano di fare di tutto per portare in salvo "il loro carico" o sono indifferenti alle sorti dei migranti?

Le traversate si effettuano a bordo di camion o pick-up stipati di uomini, affidati alla guida di organizzazioni criminali che gestiscono il passaggio clandestino verso nord di uomini e merci.

Mi è capitato di incontrare tre pick-up nel deserto con persone totalmente disidratate. Spesso durante questi viaggi si sta per giorni senza acqua e in condizioni disumane. Non tutti arrivano vivi. Molti vengono abbandonati durante il viaggio.

Da quale punto di vista hai fotografato il deserto?

Ero con una milizia libica che ci ha portato a fare un giro sul confine sudanese-libico.

Inizialmente, girando in lungo e in largo sul nostro mezzo, incontrammo solo i segni dei passaggi di queste persone: c'erano latte di benzina o di acqua vuote e abbandonate, cappelli, mozziconi di sigarette... Feci una serie fotografica di questi oggetti perché erano una traccia, tutto ciò che a volte rimaneva di alcune vite umane. La frontiera è enorme e solo a fine giornata incappammo in una di queste carovane di migranti con tre pick-up e circa 80 persone in tutto. Erano fermi per problemi al motore. C'erano moltissimi bambini tra loro, molti avevano meno di un anno.

Quando riuscirono a ripartire, furono trasferiti nella prigione libica dell'oasi di Kufra, costruita dallo Stato italiano anni fa. La prigione consiste, in realtà, in una serie di muri sotto il sole, dove le persone vengono ammassate e dove molte di loro soffrono per mesi. Cercai di contattare associazioni come

UNHCR e altre che si occupano sul territorio di diritti e frontiere, ma constatai che non avevano nessun referente in zona. Venne solo un rappresentante della Croce Rossa Internazionale ad appurare che non ci fossero decessi, ma mi dissero tutti che per le persone arrestate non si poteva fare niente. A breve forse sarebbero venuti i contrabbandieri e avrebbero potuto proseguire il viaggio verso nord. Questo mi ha dato l'idea di quanto la questione sia per ora insanabile. In Europa si parla moltissimo di hotspot da costruire in Libia, ma in realtà la situazione è estremamente complicata e totalmente in mano a contrabbandieri e miliziani.

Si è molto discusso di un'immagine, quella del piccolo Alan Kurdi, morto sulle spiagge turche, a Bodrum. Secondo te, quella foto ha cambiato lo sguardo del mondo, della società civile, influenzando la politica sul tema dei migranti o in fondo non ha spostato davvero l'opinione pubblica?

Quella foto, come molte altre, ci ha senza dubbio scioccato, dandoci un pugno nello stomaco in un momento importante della crisi migratoria nei Balcani. Ma è stato un evento troppo breve, troppo forte, poco riflessivo. Non dico che la foto non andasse fatta, anzi, al contrario, è stata importantissima. La fotografia, però, in questo momento non ha, a mio modo di vedere, quella capacità, che prima aveva, di spingere le persone a muoversi, a partecipare, a farsi promotrici di un cambiamento, di un'azione.

La foto di Alan è una foto fondamentale, come le foto dei recuperi in mare degli ultimi anni, come altre foto realizzate nei Balcani. La realtà, però, è che siamo sottoposti a un continuo flusso di immagini e questo ci porta a essere toccati per un periodo troppo limitato nel tempo. E il breve momento di shock che viviamo guardando queste fotografie non ci spinge a ragionare sulle cause profonde di ciò che vediamo. La questione migratoria è molto articolata. Una sola fotografia, per quanto fortissima, non può sintetizzarla. Allo stato attuale penso che sia addirittura rischioso cercare di sintetizzarla, perché più la sintetizzi, meno la capisci. Più complessa è la visione, più è possibile comprendere il fenomeno. Ovviamente bisogna sempre essere disponibili alla ricezione e a capire quello che si ha di fronte, aperti a questa complessità.

Tu cerchi, quindi, di fare foto complesse?
No, io cerco di ampliare il più possibile il mio lavoro.

Tecnicamente come fai?
Provo a partire dall'attualità, da ciò che vedo intorno.

In questo momento, per esempio, ho preso una pausa dal lavoro sulla questione migratoria per una serie di problemi personali, ma anche perché altre foto dedicate ai flussi migratori non avrebbero aggiunto niente a quello che ho già realizzato in questi anni. Sto cercando di concentrarmi su temi che sono in qualche modo legati alla questione, ma che riguardano più direttamente il nostro Paese: per esempio, il razzismo dilagante e la politica xenofoba che viene perpetrata in questi anni in Italia.

Ogni lavoro parte sempre da un'informazione, dalla lettura di storie sui giornali. Ci deve essere una base teorica dietro la ricerca fotografica.

Di recente ho seguito la storia di un ragazzo africano che è stato aggredito da un razzista su un autobus a Castel Volturno, in provincia di Caserta, mentre rientrava dal lavoro. Jerry Henry Boakye, 29 anni, immigrato originario del Ghana, è rimasto paralizzato e rimarrà a vita su una sedia a rotelle. Lavorava come saldatore e, come tutti i giorni, prendeva l'autobus che dal Villaggio Coppola, a Castel Volturno, lo avrebbe riportato

Giulio Piscitelli
Deserto del Sahara, confine tra Egitto, Libia e Sudan, maggio 2014. Un momento del viaggio dei profughi eritrei attraverso il deserto.

a casa. È una storia microscopica se confrontata con le violenze disumane perpetrate in Libia. Eppure, a ben vedere, la questione migratoria è fatta di tanti micro-fatti molto importanti. E la sua complessità è ancora più evidente quando non ci sono eventi di grande portata che assorbono l'attenzione. Non è semplice raccontare queste storie, sto riscontrando difficoltà enormi ad affrontare la questione del razzismo in Italia: spesso le vittime non ti vogliono incontrare perché hanno paura.

Cos'è per te la fotografia?

È come un libro, nient'altro che un mezzo che mi permette di avvicinarmi a tematiche che mi interessano. Se non ho un argomento da affrontare che mi attira, non fotografo. Normalmente non vado in giro con la macchina fotografica. La fotografia è una scusa per avvicinarmi, per capire le cose da un punto di vista privilegiato e di prossimità. La uso come un mezzo conoscitivo personale.

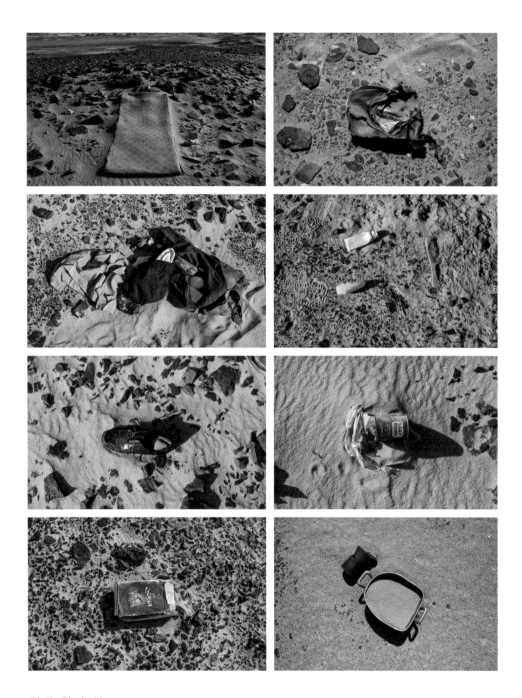

Giulio Piscitelli
Deserto del Sahara, confine tra Egitto, Libia e Sudan, maggio 2014.
Tracce del passaggio dei migranti provenienti da Khartum.

Di fronte a dichiarazioni di principio come "la fotografia può cambiare il mondo" come ti rapporti?

Io spero sempre che l'immagine fotografica possa dare degli input forti alla società civile e alla politica, però, allo stesso tempo, sono abbastanza disincantato. Probabilmente l'immagine fotografica può essere utile a chi vuole approfondire e capire determinate tematiche, ma da sola non basta. È una parte importantissima perché ti coinvolge, è affascinante, è bella esteticamente. Nel passato ci sono state immagini che hanno dato una scossa forte alla società. Ma oggi la fotografia ha perso un po' di quella carica, rimanendo orfana della sua portata comunicativa e aggrappandosi solamente alla sua portata estetica. Oggi, quindi, la portata estetica deve andare di pari passo con un approfondimento che la singola persona deve fare in autonomia, leggendo e documentandosi anche con altri mezzi.

È interessante questa riflessione che fai sull'impatto diverso delle foto in passato e oggi.

La fotografia scattata in Vietnam, nel 1972, con la piccolissima Kim Phúc che scappa nuda e ustionata durante un bombardamento al Napalm ha contribuito moltissimo allo sguardo del mondo sulla guerra in Vietnam. Oggi, invece, c'è come una contrazione. L'effetto di quella foto scattata in Vietnam negli occhi delle persone e della società è durato molto più di quanto oggi possa durare lo scandalo suscitato da una foto visualizzabile con un click.

Viviamo in un periodo in cui sia la produzione sia la fruizione di un reportage sono diventate molto più brevi. È tutto più veloce. Lo stesso *Time* oggi punta quasi esclusivamente su format di reportage online: la fruizione è, ovviamente, molto più rapida rispetto a quella che si può avere con un lavoro in formato cartaceo, il tempo che dedichiamo alla fotografia sullo schermo di un computer è molto meno di quello che dedicheremmo a un'immagine su un magazine tradizionale.

Sono fermamente convinto che in questo momento, come società, abbiamo un deficit di attenzione grave, non riusciamo a concentrarci realmente su qualcosa, non ci soffermiamo abbastanza. Tra l'altro, spesso sul web mentre guardiamo una foto leggiamo l'articolo che la accompagna e l'attenzione diminuisce ulteriormente.

La troppa velocità porta distrazione e quindi la fotografia perde uno dei suoi obiettivi?
La fotografia continua a proporre quello che sa fare, quello che è, ossia visione del mondo, conoscenza. Non amo il concetto di testimonianza.

Che differenza c'è tra testimonianza e visione?
Penso che la testimonianza comporti una presa di posizione. Non puoi essere un testimone senza avere un'idea e un punto di vista ben preciso su quello che stai vedendo. La visione, invece, può essere asettica, in qualche modo. La fotografia ti fa vedere le cose: sta a te poi decidere quanto vuoi vedere e quanto vuoi comprendere. C'è una differenza sostanziale tra osservare e comprendere.

C'è una fotografia a cui sei particolarmente legato, una che possa sintetizzare ciò che sei o a cui sei affezionato per altre ragioni?
Sì e no. Mi dicono spesso che c'è una fotografia che mi rappresenta ed è uno degli scatti che feci durante l'avventura in mare. In realtà, è una fotografia che sono quasi arrivato a odiare, soprattutto per una serie di ragioni tecniche: quando la scattai non seppi post-produrla, le prime stampe erano terribili e cominciai a detestare il risultato. Ma quella della

Giulio Piscitelli
Deserto del Sahara, confine tra Egitto e Libia, maggio 2014. Bottiglie d'acqua abbandonate in un punto di passaggio dei camion che trasportano i migranti sulla rotta dal Sudan alla Libia.

traversata del Mediterraneo sul barcone di migranti è, effettivamente, un'esperienza che non dimenticherò mai e quindi sono molto attaccato a quella foto. Penso che nella vita di un fotografo ci siano tante immagini che lo toccano nel profondo. La prima volta che sono stato in guerra in Siria ho visto un ragazzino ucciso da un cecchino: sono rimasto muto per quattro giorni. Difficilmente dimenticherò quella fotografia. Non c'è un'immagine a cui sono affezionato più che ad altre, ma ci sono sicuramente una serie di esperienze legate ad alcune mie fotografie che mi hanno formato come persona, come uomo.

La costa dei lager.
I centri di detenzione in Libia

Le voci di chi nell'inferno libico è rinchiuso senza via di fuga non sono mai protagoniste. Eppure, come rumore di fondo, nelle cantilene tra la retorica dei porti chiusi e la necessità di opporre resistenza e mostrarsi umani, c'è un luogo, un Paese con cui l'Europa stringe accordi perché blocchi le partenze dei migranti. Lo snodo per comprendere gli elementi di questa tragedia è la Libia, una prigione a cielo aperto in cui sono bloccate oltre 700.000 persone (è una stima al ribasso, si ipotizza che la cifra sia almeno il doppio) che vorrebbero andar via, magari anche per tornare da dove sono partite, ma a cui viene impedito di farlo. Ma cos'è diventata la Libia? E perché chi ci arriva resta prigioniero?

La storia dei lager libici parte da lontano e precisamente dal Trattato di Amicizia, Partenariato e Cooperazione firmato da Berlusconi e Gheddafi nel 2008, che prevedeva la costruzione di lager in Libia per fermare, attraverso la detenzione illegale, chi voleva raggiungere l'Europa. L'Italia avrebbe dovuto pagare 250 milioni di dollari in 20 anni, 5 miliardi di dollari in tutto, e solo pochi reportage giornalistici, perlopiù ignorati, smascherarono questa vergognosa operazione che calpestava i diritti umani fondamentali e ci costava denaro, molto denaro, offerto a Gheddafi, un dittatore. Denaro che avremmo potuto investire in accoglienza, ma l'intenzione non è mai stata quella di rendere l'Italia un luogo più sicuro, quanto di poter vantare un risultato. Anni sprecati, in cui si sarebbe potuto agire sulle cause che generano i flussi migratori, anni in cui l'Italia e l'Europa tutta hanno dato a Gheddafi licenza di imprigionare, torturare e deportare pur di fermare chi stava scappando da guerra, fame, miseria e persecuzio-

Moises Saman
Zawiya, Libia,
4 aprile 2017.
Un migrante
africano detenuto
mostra il cellulare
con la foto di
un gruppo di
amici presunti
morti durante
una traversata
su un gommone
affondato nel Mar
Mediterraneo.

63

ni. Quanto si sarebbe potuto fare agendo sui governi africani negli anni in cui, invece, si è preferito delegare un tiranno sanguinario che, non avendo necessità alcuna di legittimare il suo potere e di misurarlo dentro dinamiche democratiche, poteva fermare l'emergenza di donne e uomini costretti e fuggire, imprigionandoli e vessandoli. Poi, però, l'utile assassino Gheddafi cade e accade l'inevitabile: gli sbarchi riprendono numerosi quanto prima dell'accordo.

Le prigioni sono già pronte a essere riempite di nuovo. E la Libia è lì, instabile più che mai, eppure diventata un interlocutore "affidabile" per i governi italiani e per l'Europa, al punto che le viene riconosciuta una propria zona Sar (area di ricerca e soccorso), controllata da un centro di comando a Tripoli. Aver bandito le Ong dal Mediterraneo e aver delegato i salvataggi in mare alla Libia, Paese che non ha ratificato la Convenzione di Ginevra, condanna i migranti a un destino infausto: annegare in mare o tornare nei campi di concentramento libici.

Per i migranti tornare in Libia non significa avere la possibilità di ritornare a casa, ma essere rinchiusi in strutture sovraffollate con un buco dove defecare in cento; significa vivere in celle dove viene gettata una bottiglia d'acqua per decine di uomini che nell'arsura devono conquistarsela a calci e pugni. Significa subire continui pestaggi decisi dalle guardie, scariche elettriche e frustate come punizione anche solo per una risposta data con troppa enfasi; significa essere utilizzati per il lavoro forzato, non retribuito, come schiavi; questo per un tempo indeterminato che finisce solo quando la famiglia del migrante paga un riscatto. Per i trafficanti libici i migranti sono un bancomat: più riescono a fermarne e a incarcerarne, più guadagneranno.

Di tutto questo l'Unione Europea è al corrente; l'Onu ha definito la Libia un posto non sicuro per i migranti, eppure abbiamo ricominciato a sostenere con i nostri soldi un sistema che viola ogni giorno i diritti umani.

La prova delle violazioni non è solo nei report delle organizzazioni internazionali, non è solo nei racconti dei migranti che giungono in Europa, è sulla loro carne. I cheloidi delle cicatrici, gli occhi accecati da lame e calci, i denti spezzati e poi… le donne incinte. Quale donna se non costretta si metterebbe in viaggio incinta?

Katia Fitermann per *Famiglia Cristiana* raccoglie le testimonianze che i richiedenti asilo rendono ai medici legali italiani che li visitano. Sono racconti agghiaccianti, perché ci parlano di violenze subite a scopo unicamente estorsivo: denaro in cambio della promessa di essere liberati o della possibilità di imbarcarsi per l'Europa. Torture di ogni genere che talvolta lasciano poche cicatrici evidenti, ma molto dolore. Ai migranti viene praticata la *falaka*, che consiste nel colpire ripetutamente la pianta dei piedi. Questa tortura lascia dolori cronici e invalidanti. E poi ancora ustioni e frustate con fili elettrici. Per non parlare degli abusi sessuali: le donne sono obbligate a parlare al telefono con i loro parenti mentre vengono stuprate. Se questo vi sembra troppo, significa che non avete idea di cosa avvenga nell'inferno libico, dove si resta per giorni insieme ai cadaveri delle persone che non ce l'hanno fatta a sopportare stenti e torture. Sembra di tornare con la mente agli orrori dell'America Latina, ma tutto è reso più doloroso dalla consapevolezza che oggi abbiamo su ciò che sta accadendo. Oggi non sospettiamo, oggi non temiamo, oggi non presumiamo. Oggi sappiamo.

E sappiamo anche grazie a chi cerca testimonianze e racconta. Il film-maker Michelangelo Severgnini ha creato un progetto che si chiama *Exodus – Fuga dalla Libia* grazie al quale è possibile ascoltare dalla viva voce di chi si trova sull'altra sponda del Mediterraneo, quali terribili violazioni

Lorenzo Meloni
Sorman, Libia,
febbraio 2014.
Donne migranti,
provenienti
dall'Eritrea e
dalla Somalia,
ritratte nel centro
di detenzione di
Sorman. Sono
state arrestate
mentre cercavano
di raggiungere
l'Italia su una
barca. Alcune
sono incinte, altre
affette da AIDS.

dei diritti l'Europa è disposta ad accettare pur di ridurre gli sbarchi sulle proprie coste. Severgnini semplicemente contatta i migranti che si collegano a Internet sul suolo libico. Al telefono c'è un ragazzo di cui non conosciamo l'identità. Sappiamo che è partito dal Sud Sudan nel 2013, quando è scoppiata la guerra civile ed è rimasto per cinque anni in Egitto, dove ha lavorato e messo da parte del denaro. Cinquemila dollari che gli sono serviti per oltrepassare il confine tra Egitto e Libia. È entrato in Libia nel giugno 2018 ed è stato cinque mesi in carcere. Il 6 novembre si è imbarcato per venire in Italia. I migranti, in mare, avevano un telefono satellitare con cui hanno chiamato la Guardia costiera italiana, che aveva assicurato che sarebbe giunta in soccorso entro due ore. Ad arrivare, invece, è stata la Guardia costiera libica,

Lorenzo Meloni
Mellitah, Libia,
marzo 2014.
Uomini migranti,
provenienti
dall'Eritrea e
dalla Somalia,
ritratti nel centro
di detenzione di
Mellitah. Sono
stati arrestati
mentre cercavano
di raggiungere
l'Italia su una
barca.

che ha portato tutte le persone presenti sull'imbarcazione in un centro di detenzione dove, avevano detto, sarebbero state prese in carico dall'UNHCR. Ma non è andata così: sono stati legati in uno spazio stretto, hanno avuto da mangiare un po' di pasta nei primi giorni, poi più niente nei successivi sei. Per essere liberati avrebbero dovuto pagare un riscatto di 11.000 dollari. Lui, il ragazzo del Sud Sudan, può pagare quella somma, la riceve dalla famiglia (questi soldi vengono raccolti chiedendo prestiti che serviranno generazioni perché siano estinti), ma molti suoi compagni di viaggio e di prigionia no. Ha una mano rotta per i maltrattamenti subiti, ma non può sperare di essere curato, perché se si dovesse recare in un ospedale pubblico lo rinchiuderebbero di nuovo in un campo di prigionia.

Ma perché allora non vanno via? Perché le 700.000 persone prigioniere in Libia non fuggono? Perché non possono, perché pestando dalla loro carne gli aguzzini ne ricavano soldi: da loro e dalle loro famiglie si estorce denaro quando gli si promette un viaggio facile e veloce dai Paesi di origine, si estorce denaro quando diventano prigionieri sul suolo libico, quando si mettono in mare e anche quando vengono riportati in Libia per ricominciare tutto daccapo. Le partenze dalla Libia e gli sbarchi in Italia, ci dicono queste testimonianze, non sono diminuiti per il lavoro disumano dei nostri incapaci governanti, ma perché per la Libia i migranti sono una risorsa e fanno bene attenzione a non dissiparla. Ma la voce di ciò che la Libia è diventata si è sparsa e ha raggiunto anche i Paesi colpiti dall'esodo, allora si parte meno e quindi ci sono meno arrivi. Meno arrivi significa meno soldi e questo spiega come mai la Guardia costiera libica abbia necessità di recuperare imbarcazioni in mare.

Moises Saman
Tripoli, Libia, 29 marzo 2017.
Il principale centro di detenzione di Sikka Road gestito dal Ministero degli Interni.
Circa 1.400 migranti, per lo più provenienti dall'Africa subsahariana, sono in pessime condizioni e
senza libero accesso al bagno e alle docce, in attesa di tornare nei loro Paesi di origine.

Oggi la Libia è un luogo di tortura dove si è ridotti in schiavitù e da dove i migranti che si trovano attualmente in stato di prigionia vogliono fuggire. Fuggire anche per tornare da dove sono partiti. Fuggire anche abbandonando il sogno di raggiungere l'Europa.

Moises Saman
Tripoli, Libia,
29 marzo 2017.
Le donne migranti africane
si riuniscono nel cortile
del centro di detenzione di
Sikka Road per ricevere le
razioni di cibo giornaliere.

Un'adeguata consapevolezza.
Conversazione con Paolo Pellegrin

Paolo Pellegrin è un pezzo importante di storia della fotografia, uno dei più grandi autori viventi. Entrare nei suoi lavori non è semplice: l'infinità di riferimenti che ti tornano agli occhi, alla pancia e al cuore impediscono davvero di ridurre in parole le sue immagini, puoi solo guardarle. Però dovrò, parlando con lui, chiedergli del suo sguardo sulla fotografia degli esodi, quella fotografia che è lì a rintracciare il momento esatto in cui cerchi di salvarti la vita o al contrario, proprio per quella scelta di andare via e trovare un'altra strada, muori.

Paolo, tu che hai documentato guerre e conflitti, con uno sguardo a volte antropologico e a volte quasi impressionistico, quando e perché hai scelto di fotografare i migranti?

Perché non si poteva assolutamente non fare, è un tema di un'importanza, di una magnitudo, di una scala talmente enorme che riguarda tutti noi. Io, come tanti altri, fotografi, videografi, scrittori, mi sono sentito in dovere di cercare di rappresentare questo fenomeno.

Ho letto una tua dichiarazione in cui dicevi, in sostanza, che la fotografia può anche non cambiare il mondo, ma di certo cambia il fotografo. Mi ha fatto venire in mente l'immagine di un fotografo fatto di argilla, come cera che viene modificata dallo sguardo...

Penso alla fotografia come a un seme, un piccolo seme che a volte riesce a impiantarsi nell'altro. Tanti anni di fotografia umanista e di reportage mi hanno portato a interrogarmi sull'altro, su un altro spesso in condizioni di grande disagio, di sofferenza e questo mi ha profondamente modificato. Il fotografo coincide con quello che ha di fronte, con la storia, con il reale, con frammenti di realtà per creare una fotografia, ma poi la fotografia acquista una vita propria. È come se ci fosse una paternità iniziale, ma poi la fotografia diventa un'altra cosa, e in questo viaggiare le fotografie cariche dell'intento del fotografo possono incontrare l'altro e impiantare dei semi. Qui c'è un'idea di causa-effetto, di potenziale, che mi interessa molto, innanzitutto da lettore di fotografia e da lettore in generale dell'arte, della letteratura: l'idea trasformativa dell'esperienza artistica. C'è una grande responsabilità e una grande potenzialità, perché attraverso il nostro lavoro possiamo innescare un dialogo con il pubblico.

In Italia stanno facendo una battaglia per far passare le Ong come alleati dei trafficanti. Tu che hai fotografato, per esempio, sulla nave di Medici Senza Frontiere, cosa ne pensi? Come si può arrivare a fare questo?

È un tema ovviamente complesso. Io vado spesso a Gaza, per esempio: mi è capitato di pensare se lì non ci fosse un aiuto umanitario esterno, è possibile che la situazione diventerebbe politicamente insostenibile per Israele. Ci dobbiamo interrogare su questo, è un tema importante, su cui sarebbe giusto ragionare. Però, attaccare persone che cercano di fare del loro meglio per salvare gli altri, e fanno un lavoro straordinario, è una volgarità senza fine.

Quando hai sentito la dichiarazione del vicepresidente del Consiglio Di Maio sulle Ong come taxi del mare, cosa hai pensato?

Sono proprio queste superficialità che sono profondamente offensive di fronte a persone che scappano da situazioni tragiche, dalla guerra, da eventi che noi non riusciamo neanche a immaginare. Inoltre, lavoro da sempre con le Ong e ho un enorme rispetto per il loro lavoro.

Perché, secondo te, c'è questa ostilità infinita verso le Ong che salvano vite, che vengono chiamate "taxi", quando invece si tratta di ambulanze? Quando ti sei occupato di questo tema, hai sentito anche su di te il pregiudizio che si traduce in accuse come "voi artisti state con le élite", "lo fate solo per soldi"…?

Direi di no. Sul campo, che è il campo del Mediterraneo, nella mia esperienza con le Ong – per esempio con Medici Senza Frontiere di fronte alle coste libiche o nelle isole greche di Lesbo e Kos – non ho riscontrato questo pregiudizio. Anzi, mi sono rallegrato proprio della risposta delle persone, degli isolani: tutti, bene o male, di fronte a questo fenomeno davano una mano. Quando c'è il contatto con lo sguardo, con il corpo, con il fisico, quando queste persone diventano persone perché le hai di fronte, allora c'è un vero scambio. Quando invece – è la mia ipotesi – questo aspetto viene meno, tutto diventa più astratto ed emerge la paura. In questi anni, in Europa, in Italia, il tema dei migranti è diventato una cartina tornasole delle nostre paure. Quando manca quel contatto diretto, allora è più facile banalizzare per una persona che non sa o che non si interroga sui motivi, sul perché qualcuno sia disposto a mettere la propria famiglia su un barcone, sull'enormità di un gesto come quello.

La fotografia può colmare, quindi, questa distanza tra la realtà e una visione fredda e astratta delle cose?

Sì, certamente, soprattutto in una situazione fatta di slogan, di grande superficialità, che esprime la non volontà di affrontare davvero il tema.

Una domanda che si fa sempre ai fotografi: cosa succede nel momento in cui ti trovi in una situazione difficile? Cosa ti rende testimone e cosa ti impedisce di posare la macchina fotografica e partecipare?

Paolo Pellegrin
Al largo di
Reggio Calabria,
27 luglio 2015.
Un gruppo di
migranti eritrei
salvati in mare
da una nave, la
Bourbon Argos,
di Medici Senza
Frontiere. La nave
stava pattugliando
le acque al largo
della Libia quando
si è imbattuta in
due imbarcazioni
di legno che
trasportavano circa
700 migranti.

È una domanda importante e che mi è stata fatta spesso. La risposta che mi sono dato è quella della funzione: vado in questi luoghi con una funzione precisa, quella del racconto, della testimonianza, della creazione di documenti che magari non hanno un immediato effetto di cambiamento, ma possono un giorno essere utilizzati. Un esempio classico sono le foto dei campi di concentramento: se arrivasse oggi uno storico negazionista che dicesse che i campi di concentramento non sono esisititi, noi abbiamo delle prove fotografiche per confutarlo. È la funzione della memoria. Poi, spesso, in questi contesti ci sono persone – come i volontari, le Ong – che hanno un'altra funzione, quella di aiutare, e c'è un rispetto importante dei ruoli di ognuno.

Mi è capitato una volta sola, nel Sud del Libano nel 2006, mentre stavo seguendo la guerra tra Hezbollah e Israele nella parte libanese: sono entrato in un villaggio deserto sotto i bombardamenti con un collega fotografo e in uno scantinato abbiamo trovato un gruppo di anziani terrorizzati che erano lì da giorni. Ce li siamo caricati in spalla uno per uno e li abbiamo portati dall'altra parte. Quella è stata una situazione eccezionale, in cui non ti poni neanche la domanda su cosa fare e agisci. Normalmente, invece, c'è qualcuno che svolge questa funzione, le Ong appunto, mentre la funzione del fotografo è prima di tutto quella di documentare.

Il tuo sguardo è riconosciuto nel mondo, hai vinto 10 World Press Photo in 18 anni. È complesso da raccontare, ma le tue fotografie, anche quando denunciano tragedie immani, mantengono una loro bellezza. Mentre questo è evidente quando l'occhio va sulla fotografia, tematizzarlo, cioè usare la parola "bellezza", iniziare a descriverlo è complesso. Questo rapporto tra bellezza e denuncia, che è sempre presente nelle tue foto, ed è anzi prioritario, come nasce?

Lo sguardo è un mistero, nel senso che è la somma di chi siamo, di chi è il fotografo in quel dato momento, la somma del nostro vissuto, di quello che abbiamo visto o letto, di quanto abbiamo amato. Tutto, misteriosamente, diventa sguardo. E c'è una tensione tra lo sguardo che si è costruito nel tempo – attraverso la lettura, i vari riferimenti, la letteratura, e che in qualche modo io controllo – e il desiderio, invece, di bypassare il conosciuto, il mentale e semplicemente reagire con la macchina fotografica. Nella tensione tra questi due punti, che si spostano di volta in volta, c'è il mio sguardo, dove il dato della bellezza, di cui anch'io ho pudore a parlare, è un tratto che fa parte della mia voce, della mia cifra stilistica. Quello che posso dire – di nuovo lo dico innanzitutto da lettore di fotografia, e citando Ferdinando Scianna, uno dei più grandi fotografi italiani, tra i primi membri dell'agenzia Magnum e uno dei miei mentori – è: "Una bella foto non migliora il mondo, ma una brutta lo peggiora". Allora, fare la foto migliore possibile, anche da un punto di vista formale, compositivo ed estetico, è anche una forma di rispetto per l'altro. Cerco di utilizzare lo strumento che ho a disposizione nel miglior modo possibile, all'interno di una tradizione artistica, quella occidentale, dove l'idea della bellezza è una chiave per trasmettere significato. Impegnandomi a fare le foto migliori che posso, cerco di onorare la fotografia, chi ho di fronte e la storia che sto raccontando.

Perché la scelta del bianco e nero?

È una scelta nel solco di una tradizione di grandi fotografi che si sono espressi e continuano a esprimersi in bianco e nero, è una tradizione che cerco di onorare. Il bianco e nero permette una cosa che con il colore è più difficile, ossia far coincidere lo specifico con l'universale; togliendo un elemento del reale si permette alla foto di diventare metafora. Lo

sguardo di quella persona, di quel migrante, è sì lo sguardo specifico di quella persona, di quel migrante in quel preciso momento, ma può contenere un riferimento alla condizione universale. Questo avviene più facilmente con il bianco e nero che con il colore.

Osservando la tua carriera, si può notare un iniziale sguardo particolare che diventa sempre di più uno sguardo dall'alto. Come se avessi iniziato con un passo verso ciò che ti era più prossimo per poi allargare verso uno sguardo storico.

Paolo Pellegrin
Al largo di Reggio Calabria, 27 luglio 2015.
L'imbarcazione di legno in cui hanno viaggiato i migranti tratti in salvo dalla
Bourbon Argos, fotografata dopo l'evacuazione.

Sì, è certamente così. Sono figlio di architetti, ho iniziato
gli studi di architettura e ho lasciato l'università con disap-
punto paterno; ho sempre pensato alla fotografia come a una
lingua straniera che dovevo studiare, di cui dovevo imparare
la grammatica, la sintassi, la parola, e ho iniziato a farlo con
grande umiltà, con l'idea del lavoro della bottega d'artigiano.
Questa prima fase è durata una decina di anni, anche se in realtà non finisce mai. Abitavo a Roma e cercavo di raccontare
quello che mi era vicino, anche per motivi legati alle risorse
limitate che avevo, e soprattutto con un training autoimposto
in cui tutti i giorni scattavo, la sera sviluppavo, la notte facevo
le stampe e il giorno dopo ricominciavo. Pian piano mi sen-
tivo più sicuro, più capace, e ho iniziato ad allargare il raggio
d'azione.

**Spesso il tuo è uno sguardo da antropologo, ti inte-
ressa indagare l'uomo.**

Una cosa di cui sono abbastanza certo è che nell'altro ci
siamo noi, nell'altro c'è sempre il riflesso di chi siamo e vice-
versa, siamo quindi anche specchio dell'altro. La fotografia è
sempre un tentativo di annullare il più possibile le distanze,
idealmente vorrei essere una tela bianca dove l'altro si spec-
chia, si riflette. Questo a livello micro e macro: la persona che
ho di fronte e un altro che spesso, data la natura dei temi che
ho affrontato in questi anni, è inserito in un contesto più ampio, di grandi fenomeni. Anche qui, di nuovo, con una tensione tra l'individuo e la storia attraverso la quale esso si muove.

Lo sguardo sulle migrazioni cosa ha generato in te?

Immagino ovviamente sofferenza, empatia. **Non so se, da padre, tu abbia pensato a cosa prova un genitore a dover viaggiare così con i propri figli o, peggio, a mandare via, lontano, i propri figli per cercare di salvarli... Cosa ti ha lasciato nella carne lo sguardo sui migranti?**

Credo che una mia caratteristica sia proprio l'empatia, cercare dove possibile di mettermi nei panni dell'altro. E da qui poi nasce il pudore. È un asse centrale del mio lavoro e su questo si innestano tutte le cose che hai detto. Nel modo in cui noi trattiamo questo fenomeno e queste persone c'è il riflesso del nostro livello di civiltà. Al di là delle leggi, c'è una legge superiore che è una legge di giustizia, la legge del mare, il non poter abbandonare le persone. C'è, di fondo, un imperativo morale di accoglienza. Con tutti i distinguo che sono altrettanto importanti, ci sono delle ragioni della politica che vanno considerate, ma di base c'è un imperativo morale di accoglienza. Non può non essere così.

Ti poni mai una questione politica? Per esempio, quando sei partito per fotografare i migranti, avevi dentro di te una visione su come potesse essere affrontato il problema, possibili soluzioni (corridoi umanitari, una grande conferenza sull'Africa che l'Europa non ha mai fatto, ecc.) o preferisci andare sul territorio senza un orientamento?

Entrambe le cose. Ho una coscienza anche politica, da cittadino prima ancora che da fotografo, con una serie di pensieri, di opinioni e anche di tentativi di usare il mio lavoro. Mi interessa però, allo stesso tempo e come dicevo prima, essere una tela bianca. Di nuovo, credo ci sia una continua tensione tra questi due momenti opposti.

Spesso arrivi in contesti che sono stati già narrati, ma ne dai una lettura unica che rende le tue fotografie quelle

che danno una misura nuova. **Perché decidi di andare in un dato luogo in un determintato momento? Perché ne senti l'urgenza, perché ti viene commissionato un lavoro...?**

È un insieme di cose. La commissione gioca un ruolo importante. Per tanti anni ho lavorato per i giornali e il confronto con il photoeditor per sviluppare insieme le storie è stato un elemento importante del mio lavoro. Da sempre il mio interesse è per la fotografia umanista, per una fotografia che si interroga, che ha un rapporto con la storia. Da fotografo la storia la puoi raccontare solo vivendola sul campo, e per anni ho cercato di fare questo in varie aree geografiche (negli anni Novanta soprattutto nei Balcani, in seguito nell'Iraq dell'invasione americana, il grande errore strategico che poi ha innescato tutto quello che vediamo ora in Medio Oriente...).

Ti è capitato di arrivare in un luogo con un'idea e di cambiarla radicalmente dopo esserci stato?

Sì, certo. Ogni pensiero, ogni domanda, ogni orizzonte contiene la domanda successiva, l'orizzonte successivo. Sono sempre pieno di dubbi, su me stesso, sulla mia funzione, sulla mia capacità, sul mestiere del fotografo. È una lotta continua, un corpo a corpo costante con questi dubbi.

Quali sono quelli maggiori?

Sicuramente il grande tema di non riuscire a rappresentare bene l'altro, di essere inadeguato. Poi i dubbi sulla portata del mio lavoro: ha un senso solo per me o riuscirà a toccare anche altri? E poi quelli di natura etica e morale: raccontare la sofferenza dell'altro è una cosa enorme, va maneggiata con cura e non c'è una formula per farlo. Ogni volta cerco di fare il meglio che posso, con delle questioni che rimangono, appunto, sempre aperte.

Paolo Pellegrin
Lesbo, Grecia, 2015. Fuori dal gabbiotto della polizia greca a Mitilene, i rifugiati aspettano il loro
turno per potersi registrare. Nel settembre 2015, tra 15.000 e 20.000 rifugiati, di cui il 70% siriani,
aspettano di completare la registrazione presso le autorità di Mitilene, capitale dell'isola di Lesbo.
In genere le condizioni di vita sono pessime: si dorme a terra e non c'è accesso ai servizi igienici.
Le autorità greche sono state sopraffatte dal numero di rifugiati e le procedure di registrazione hanno
subìto forti rallentamenti.

Riguardo all'etica del fotografo, ti sei costruito un comportamento? Ti sci dato dei princìpi base?

L'etica del fotografo è l'etica dell'uomo, le due cose coincidono. Non credo ci sia un formulario a cui il fotografo si può attenere. Ci sono, ovviamente, delle linee guida, ma ogni volta bisogna cercare di fare del proprio meglio. È una sfida costante con la consapevolezza di essere di fronte a un paesaggio umano particolarmente sensibile.

Ti sei mai posto dei limiti? Sul fotografare la morte, per esempio...

Sì, ho tutta una galleria mentale di immagini non fatte perché non me la sono sentita, a volte anche per paura. Muovendomi spesso in teatri di conflitto, la paura è un tema presente.

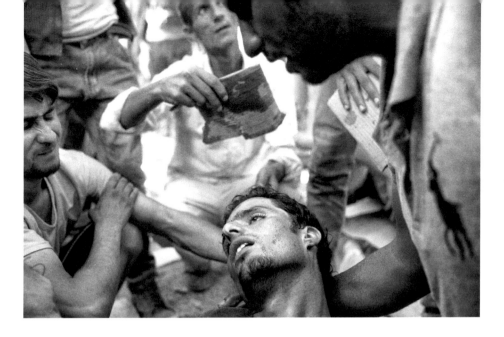

Paolo Pellegrin
Lesbo, Grecia, 2015.
Lo sfinimento e le lunghe ore di attesa nel caldo estremo a volte causano collassi e svenimenti.

Tu sei stato anche ferito. Ti sei dato un limite massimo per il rischio?

Questa è un'altra questione mai risolta. Capita di partire con pensieri prudenti e poi di trovarsi con un desiderio di vedere, di andare più avanti, di capire meglio, e quindi il limite che ti eri fissato viene oltrepassato. L'evento della mia vita che ha modificato questo discorso è stato la paternità: sono diventato padre tardi, ho due bimbe, e questo ha cambiato completamente il mio senso di responsabilità.

Cerchi maggiore sicurezza perché sai che non rischi più solo tu?

Non sarebbe giusto, non sono più da solo e questo rischio è condiviso con le mie figlie.

Sei un fotografo Magnum. Se dovessi individuare un DNA per la tua fotografia, c'è una traccia chiara da cui

Paolo Pellegrin
Lesbo, Grecia, 2015.
I rifugiati raggiungono la
riva vicino al villaggio di
Skala Sikamineas, sulla punta
settentrionale dell'isola,
a circa 15 chilometri dalla
costa turca.
Secondo l'UNHCR, degli
850.000 rifugiati e migranti
arrivati in Grecia nel 2015,
più di 500.000 sono sbarcati
a Lesbo.

Paolo Pellegrin
Lesbo, Grecia. 2015.
Scontri tra rifugiati siriani
e afghani in attesa di essere
registrati dalla polizia
greca nell'area del porto
di Mitilene. Gli afghani
sostengono che i siriani
ricevano un trattamento
privilegiato da parte delle
autorità.

Paolo Pellegrin
Lesbo, Grecia, 2015.
I rifugiati raggiungono la riva vicino al villaggio di Skala Sikamineas, sulla punta settentrionale dell'isola, a circa 15 chilometri dalla costa turca.

discendi? E c'è dentro di te un punto di arrivo? Quando scrivo, per esempio, nella mia testa sogno di essere chiaro come Primo Levi, di poter avere lo stile di Capote, l'incisività di Malaparte. Sono per me degli obiettivi, ma anche dei punti di partenza. Per te è lo stesso?

Dal punto di vista della scrittura mi sono interrogato a lungo e ho lavorato molto sulla forma e sulla composizione aggiungendo elementi. Il rettangolo dell'immagine fotografica è la nostra finestra sul mondo, il nostro campo di azione, e ho cercato di controllare la forma e la composizione perché sono gli strumenti che ho per trasmetttere senso e significato. In questo c'è l'aspetto artigianale, di cui parlavo prima, di onorare il proprio mestiere. Per anni ho fatto quindi un lavoro additivo, e uno dei miei grandi maestri è stato Gilles Peress. Le sue fotografie sono sempre molto complesse, con vari piani narrativi. Adesso sono all'inizio di un'altra fase della vita, e anche la mia voce fotografica sta cambiando, si sta

Paolo Pellegrin
Lesbo, Grecia, 2015.
Il corpo di un migrante annegato galleggia nelle acque vicino a Skala Sikamineas.
Secondo l'UNHCR, nel 2015 sono scomparse 3.700 persone che cercavano di raggiungere le coste europee, ritenute annegate.

asciugando. Ora è una fotografia che procede per sottrazione, in cui posso pensare come riferimento a Primo Levi, certo, a un calligrafo giapponese, a un taglio di Fontana, a un gesto unico che contiene tutto. Credo di essere su questo percorso, su questo cammino.

La fotografia può essere opera d'arte e di denuncia. Può riuscire a quadrare il cerchio?

La fotografia è una cosa complessa. In apparenza è facile, siamo tutti fotografi, sappiamo tutti leggere un'immagine, o riteniamo di saperlo fare; in questo senso la fotografia è davvero un linguaggio universale. Tale semplicità nasconde però qualcosa di più articolato: esprimersi e saper parlare in fotografia è molto difficile. Così è anche per la scrittura: tutti siamo alfabetizzati e sappiamo scrivere, ma poi leggi Nabokov e il divario è evidente. In questo gesto così apparentemente semplice di fare click si dà voce alla somma dei pensieri di chi è il fotografo in quel momento, e in questo c'è tutto: c'è la vita, il racconto, il vissuto, le paure, i libri letti, e c'è una cifra artistica, perché la fotografia è anche questo. Noi fotografi usiamo un alfabeto estetico fatto di forma e composizione per trasmettere significato, le due cose vanno insieme.

Una volta hai detto che fotografare è un dovere. È un dovere la denuncia o è un dovere perché ogni foto è un tassello del puzzle che è il racconto della realtà?

Nutro molti dubbi sulla portata e sulla capacità della fotografia, e chiedere alla fotografia di cambiare il mondo è forse troppo. Ma immaginare un mondo senza fotografi, senza videografi, senza persone che vanno a vedere, ecco quello è un mondo che mi fa paura. Preferisco correre dei rischi, anche etici e legati alla rappresentazione dell'altro, piuttosto che pensare a un barcone di migranti che lascia le coste della Turchia o della Libia senza che nessuno veda o sappia mai nulla. E mi fa paura, di nuovo, non perché la fotografia debba o possa avere una causa ed effetto immediati, ma per il fatto che esiste, per l'idea del documento che una volta creato c'è e un giorno potrà essere impugnato, tirato fuori, studiato. Questo mi sembra la pietra angolare del lavoro del fotografo.

Paolo Pellegrin
Al largo di Reggio Calabria, 27 luglio 2015. I migranti eritrei sulle loro imbarcazioni di legno vengono salvati dalla Bourbon Argos di Medici Senza Frontiere.

Darrin Zammit Lupi
Al largo di Zawiya, Libia, 4 aprile 2017.
Alcuni migranti cercano di restare a galla dopo essere caduti dal gommone durante un'operazione
di salvataggio della Ong maltese Migrant Offshore Aid Station (MOAS). Tutti i 134 migranti
subsahariani sono sopravvissuti e sono stati salvati da MOAS.

In mare aperto

In mare aperto non ci sono taxi. Non c'è nessuno. Acqua e cielo coincidono, e quando coincidono significa che non c'è terra all'orizzonte.

In mare aperto non c'è più nessuno. Eppure sulla mappa sembrano così vicine le coste, a guardarle con lo smartphone sembra un attimo, e invece ci vogliono giorni.

In mare aperto ci sono onde, c'è nausea, c'è un freddo che ghiaccia le ossa e subito dopo caldo che ti arrostisce la pelle, secca la gola e ora dopo ora fa perdere ogni speranza, se ancora ne hai. In mare aperto c'è tutto questo, ma più spesso, in mezzo al mare, c'è la morte. Una morte silenziosa, una morte senza testimoni, una morte senza ambulanze e senza mani tese.

Prima che arrivassero i "taxi del mare", in mare aperto c'era vita da salvare, c'era vita di cui occuparsi. Prima che arrivassero le accuse ai "taxi del mare", le Ong erano lì a occuparsi di quelle vite e le persone nei porti al loro arrivo battevano le mani perché chi salva una vita le salva tutte. È accaduto che in Italia si celebrasse sulla terraferma ogni vita sottratta alle onde. Un tempo le Ong lavoravano insieme alla Guardia costiera, in mare. In mare aperto.

Poi è diventato tutto nero, in poco tempo, in poche settimane, nel volgere di un'estate. I "taxi del mare", i libici che sparano alle imbarcazioni delle Ong e ai migranti in mare, in mare aperto.

In mare aperto arrivano i latrati nazionalisti, gli echi sovranisti, gli slogan che pretendono di ribaltare le leggi del mare che da sempre hanno un'unica declinazione: nessuno viene lasciato in mare.

Darrin Zammit Lupi
Nei pressi della costa libica, 6 agosto 2015.
Un migrante si tuffa da una barca sovraccarica
durante un'operazione di salvataggio.

Hani Amara
Nei pressi della costa di Zuara, Libia, 28 agosto
2015. Un membro della Mezzaluna Rossa
controlla il corpo senza vita di un migrante
recuperato dalla Guardia costiera libica dopo il
naufragio di un'imbarcazione.

Dimitris Michalakis
Lesbo, Grecia, 2 ottobre 2015. Una donna
solleva dall'acqua una bambina mentre altri
migranti arrivano su un gommone sovraffollato
dopo la traversata dalla Turchia.

Yannis Behrakis
Lesbo, Grecia, 2 ottobre 2015. Una volontaria
della Croce Rossa greca conforta un rifugiato
siriano pochi istanti dopo lo sbarco.

Giorgos Moutafis
Lesbo, Grecia, 16 dicembre 2012. Membri
armati dell'Esercito greco e ufficiali della
Guardia costiera si avvicinano al cadavere di un
immigrato.

Hani Amara
Tagiura, Libia, 4 dicembre 2016. Il corpo di un
migrante.

Yannis Behrakis
Al largo di Sabrata, Libia, 1 aprile 2017. Oltre
100 migranti affollano il gommone, ormai
alla deriva, durante un'operazione di ricerca e
soccorso dalla Ong spagnola Proactiva Open
Arms nel Mediterraneo centrale.

Albert Masias
Marzo 2017. Un giovane ragazzo subsahariano
lascia il gommone su cui viaggiava con altre 137
persone durante un salvataggio della nave VOS
Prudence di MSF.

Hani Amara
Tagiura, Libia, 4 dicembre 2016. Il recupero del
corpo di un migrante.

In mare aperto arriva la sovranità della propaganda che rimanda nell'inferno o fa annegare con la pretesa di salvare dallo schiavismo. Ti lascio annegare o ti rinchiudo in un lager, per salvarti. Si è arrivati a questo: incredibile come tutto sia cambiato in così poco tempo.

Prima in mare aperto c'era sofferenza ma riusciva a galleggiare la speranza di farcela. Ora in mare aperto c'è solo dolore, morte e sconfitta. Sconfitti tutti, anche chi resta impassibile di fronte alle sciagure. Anche chi non sa niente delle sciagure o finge di non sapere. O vorrebbe non sapere. Nessun vincitore.

Fabrizio Gatti in *Bilal* racconta la sua partenza da Milano, in aereo per Dakar: la prima tappa del suo viaggio. Un viaggio che ha fatto molti anni fa per raccontarci l'umanità che decide di partire dall'Africa e attraversare il mare. Proprio Dakar mi ha fatto venire in mente l'isola di Gorée che dalla capitale del Senegal dista solo tre chilometri. L'isola di Gorée è un lembo di terra oggi Patrimonio dell'Umanità, ma fino al 1848 è stato un luogo di sofferenze indicibili. Da lì partivano gli schiavi, verso il mare aperto, destinati al Nuovo Mondo. Milioni di africani: i più forti venivano imbarcati, i più deboli buttati a mare. Nessun rispetto per la vita. Nessuno.

Scrivo queste parole e le dita si fanno pesanti. Come se tutta la nostra storia, come se la storia dell'umanità fosse stata cancellata con un colpo di spugna; come se dovessimo rivivere tutto daccapo per capire. Abbiamo depredato l'Africa di esseri umani e poi l'abbiamo depredata di risorse. Abbiamo saccheggiato il sottosuolo, azzannato le ricchezze e oggi non ci vogliamo prendere responsabilità del destino di chi lascia una terra depredata. L'Europa, nonostante politiche predatorie, ha il coraggio di chiudere i porti, di presidiare le frontiere, di farsi una fortezza respingente, di temporeggiare. Ma in mare aperto non c'è mai tempo, in mare aperto non esistono taxi. In mare si muore.

Giorgos Moutafis
Nei pressi della costa della Libia, 18 agosto 2016.
Housaida, una bambina siriana rifugiata, riposa all'interno della nave di soccorso spagnola Astral
dopo essere stata salvata dalla Ong spagnola Proactiva Open Arms vicino alla costa libica.
Dice Giorgos Moutafis: "La ragazza era a bordo dell'Astral con i genitori, la sorella e un cugino che
aveva perso il padre. Erano tutti su una piccola imbarcazione di legno affondata. Il padre ci ha detto
che per rimanere a galla hanno afferrato il corpo di un migrante affogato. Penso che i corpi siano stati
raccolti dalla Guardia costiera italiana il giorno successivo.
Tre migranti hanno perso la vita".

Territorio di guerra.
Conversazione con Olmo Calvo

Ho fortemente voluto incontrare il fotoreporter Olmo Calvo, trentasettenne della Cantabria, Nord della Spagna, ma ormai da tempo trapiantato a Madrid, nella città che ha definito come il suo "territorio di guerra". Il fronte che Calvo fotografa e osserva è quello vicino a casa. Il suo sguardo è rivolto alla crisi sociale. La sua fotografia riesce a registrare la sofferenza dei migranti, l'ansia di salvezza che li investe nei loro viaggi disperati. Ecco perché poter ascoltare dalla sua voce come ha calibrato il suo sguardo è per me un'occasione preziosa.

Perché hai deciso di raccontare la questione migratoria?

Da anni ormai il fenomeno dell'immigrazione è uno dei più interessanti e discussi del nostro tempo. È un tema complesso, poliedrico, sfaccettato, che collega tra sé diverse realtà del mondo e che riguarda praticamente tutti i Paesi.

Fotografando i flussi migratori, si incontrano realtà e situazioni di ogni tipo: Paesi che sono in guerra, Paesi colpiti da povertà estrema, da cambiamenti climatici, oppure dove semplicemente non ci sono opportunità per vivere una vita dignitosa. E ancora Paesi di transito, Paesi di frontiera. Si possono fotografare le rotte che i migranti attraversano in cerca di un luogo sicuro e di nuove opportunità, o raccontare le loro storie una volta arrivati nei Paesi che li ospitano. La fotografia può indagare e raccontare le varie politiche che riguardano la questione migratoria nei diversi Paesi del mondo, i livelli di integrazione possibile tra persone differenti. Credo che sia un tema fondamentale da affrontare per comprendere il mondo di oggi.

Olmo Calvo
1 luglio 2018.
I migranti, salvati nel Mediterraneo dall'Ong Proactiva Open Arms, leggono il libro *Europa*. Il giorno prima sono stati salvati a 50 chilometri da Tripoli assieme ad altre 60 persone che cercavano di raggiungere l'Italia su un gommone.

Olmo Calvo
25 dicembre 2018.
Un migrante prega all'alba sul ponte della nave di Proactiva Open Arms. È stato salvato con 300 persone il 21 dicembre, a 70 chilometri da Homs. Altri Paesi europei come l'Italia, Malta o la Grecia hanno chiuso i loro porti e solo la Spagna ha accolto la nave dopo sei giorni di navigazione.

Olmo Calvo
Al largo di Algeciras, Spagna, 27 dicembre 2018.
Due migranti ballano sulla nave della Ong Proactiva Open Arms, prima di
arrivare in porto.

Olmo Calvo
Crinavis, Spagna, 28 dicembre 2018.
L'imbarcazione di Proactiva Open Arms sbarca nel porto dopo il salvataggio di
circa 300 migranti.

Nel corso del tuo lavoro hai avuto modo di fotografare anche sulle navi delle Ong che operano nel Mar Mediterraneo. Raccontami la tua esperienza.

Grazie al lavoro delle Ong, giornalisti come me riescono a documentare la situazione nel Mediterraneo. Registrare queste circostanze altrimenti sarebbe impossibile. In questi anni ho lavorato più di una volta con l'Ong catalana Proactiva Open Arms. La mia prima missione fu a gennaio 2017 e l'ultima a dicembre 2018.

Quando vai in missione, hai modo di vedere davvero come si svolgono i salvataggi e capire cosa accade. Vedere arrivare i migranti su gommoni precari, con il rischio e il terrore che la barca possa affondare da un momento all'altro e che la gente muoia, ti fa capire veramente l'importanza di queste organizzazioni e del loro coinvolgimento.

Il risultato delle varie missioni a cui sono riuscito a partecipare è una serie di servizi confluiti poi in una mostra dal titolo "Mediterráneo: una gran fosa común" ("Mediterraneo: una grande fossa comune"). Il numero di morti di questi anni, le cifre smisurate e disumane, hanno portato molte volte a usare simbolicamente il termine "fossa comune" per indicare il Mediterraneo. Non è un concetto che ho coniato io, viene usato spesso dai giornali e dagli uomini politici di tutto il mondo. Penso che renda perfettamente l'idea di quello che è diventato il Mediterraneo oggigiorno: la rotta della morte, il tragitto più pericoloso e letale al mondo percorso dai migranti. Anzi, in realtà si potrebbe parlare di "rotte", al plurale, perché non è una sola la rotta, ma diverse: quella del Mediterraneo centrale, quella del Mediterraneo occidentale e quella del Mediterraneo orientale. Abbiamo cifre che parlano chiaro: nel 2016 oltre 5.000 morti, nel 2017 3.000, lo scorso anno più di 2.000. E questi sono solo i numeri che conosciamo, quelli documentati dall'ONU. Vi è poi la cifra sconosciuta delle vittime di cui non si ha notizia, dei corpi che non sono mai stati ritrovati. In realtà, molte persone non sono registrate, spesso mancano informazioni di base come il sesso o l'età di chi è morto o scomparso, il numero dei corpi che vengono recuperati e identificati rimane molto basso. Sappiamo che le cifre reali sono più alte ma è difficile stabilire esattamente di quanto. I numeri, poi, da soli non rendono l'idea della vera tragedia che stiamo vivendo.

Il mio primo approccio al mondo delle migrazioni è stato a Madrid, quando con dei colleghi documentammo per mesi le retate effettuate dal Cuerpo Nacional de Policía ai danni dei migranti. Il progetto si chiamava "Fronteras invisibles" ("Frontiere invisibili"). Cercavamo di raccontare le perquisizioni totalmente arbitrarie e indiscriminate che queste persone subivano, fermate per le strade della capitale per il consueto controllo dei *papeles*, dei documenti.

In realtà, questo tipo di retate, portate avanti solamente sulla base del profilo etnico, dei tratti somatici, avviene ed è documentato in molti Paesi del mondo. Io mi sono occupato di quelle della città in cui vivo.

Rischiavate qualcosa come fotografi? Identificazioni, detenzione o cose simili?

Effettivamente sì. Soprattutto perché all'inizio le persone non volevano ammettere quello che stava accadendo. Ti dicevano solo che erano dei controlli antiterrorismo, o degli alcol test, ma in realtà sapevano tutti che non era così. Andando in giro per Madrid si incontravano magari quattro o cinque poliziotti in fila che fermavano persone con tratti somatici appartenenti a una determinata origine etnica (America Latina, Africa, Asia). Di questa problematica hanno iniziato a parlare diverse organizzazioni che difendevano i diritti degli immigrati irregolari, portando avanti una battaglia di denun-

Olmo Calvo
18 febbraio 2018.
Rifugiati e migranti
attendono di essere
soccorsi dagli operatori
umanitari di Proactiva
Open Arms, a 90
chilometri a nord di
Homs, in Libia.

cia sociale vera e propria. Io e altri colleghi fotografi abbiamo semplicemente cercato di dare un volto, di immortalare ciò di cui si parlava già da tempo e che queste organizzazioni provavano a denunciare. Non esistevano all'epoca foto che documentassero la vicenda. Il lavoro fotografico di "Fronteras invisibles" cercava di offrire uno sguardo in più sulla polemica accesasi nel febbraio 2009, quando l'allora Ministro dell'Interno spagnolo, Alfredo Pérez Rubalcaba, negò con forza di aver fatto circolare una direttiva tra i commissariati di polizia di Madrid che avrebbe caldeggiato un inasprimento dei controlli ai migranti volto all'individuazione, all'arresto e all'espulsione dei *sin papeles*. Per questo, raccontando questa vicenda siamo andati incontro a una serie di problemi a cui le persone che fanno il nostro lavoro sono piuttosto abituate: spesso venivamo perquisiti, ci cancellavano le foto, alcuni di noi sono stati anche arrestati.

Il vicepresidente del Consiglio italiano Luigi Di Maio ha definito qualche tempo fa le Ong "taxi del mare". L'accusa è che il lavoro delle Ong in mare favorisca l'immigrazione clandestina e che queste organizzazioni siano alleate dei trafficanti. In mare ci sono taxi?

Penso che sulla questione si debba essere decisi. La mia risposta è: no, assolutamente. Non si possono paragonare le Ong a taxi del Mediterraneo. È un'affermazione assurda. Chi è stato sul campo e ha visto il lavoro che queste organizzazioni svolgono giornalmente, salvando vite umane nel mare, sa che si tratta proprio di un lavoro di ricerca e salvataggio che ha molto a che fare con i diritti umani fondamentali, con il diritto del mare in primis. Ci sono persone che vanno salvate, che corrono il rischio di morire.

I numeri parlano chiaro, li abbiamo ricordati poco fa. Certo, i numeri sono freddi, non bastano, vorremmo conoscere le storie di queste persone, ma sono comunque importanti. Sono numeri che raccontano le morti di chi ogni giorno cerca di attraversare il Mediterraneo, di arrivare in Europa per fuggire da un pericolo imminente, da una guerra, o per abbandonare Paesi dove non ci sono opportunità di vivere una vita degna di questo nome, opportunità che, invece, noi abbiamo.

Faccio un esempio molto pratico: io oggi per fare questa intervista ho preso un aereo, sono arrivato qui a Milano e con un altro aereo rientrerò stasera a Madrid. Non ho corso nessun tipo di rischio o di pericolo. Quando si parla di immigrazione, è bene ricordarsi sempre che si sta parlando di diritti. Soltanto per la fortuna di essere nate in un determinato luogo e non in un altro, alcune persone hanno più diritti di altre. Secondo me il tema dell'immigrazione è legato a doppio filo con quello dei diritti. Diritti che a noi sono stati trasmessi dai nostri genitori, che ci hanno fatto nascere in questa parte fortunata di mondo. Persone che sono nate invece in Asia, in Africa o in America Latina hanno diritti dimezzati rispetto ai nostri.

Io non ho la bacchetta magica, non ho una soluzione pronta a questi problemi. La realtà è complessa, ma sicuramente dire che delle persone che lavorano per salvare vite umane, giovani, donne e bambini che rischiano di morire annegati, abbiano relazioni con i trafficanti di migranti è fuorviante. Solo una persona che non ha visto quello che accade davvero in mare può parlare così delle Ong. Il tema migratorio, d'altra parte, ha effetti sui governi di tutto il mondo. I partiti di estrema destra che cavalcano l'onda del discorso xenofobo sono in forte ascesa in moltissimi Paesi. Credo che chi ha fatto questa dichiarazione l'abbia fatta pensando alla carriera politica, ai voti che deve raggiungere. Ma l'affermazione, come è ovvio, non corrisponde al vero. Le imbarcazioni delle Ong che salvano vite in mare non sono "taxi del mare".

Olmo Calvo
13 gennaio 2017.
Il piccolo Idris, tre anni, dal Mali, dorme accanto a sua madre Aicha Keita, sul ponte della nave Golfo Azzurro dopo il salvataggio a circa 30 chilometri dalla Libia.

C'è una tua foto del 2018 che mi ha profondamente colpito. Mostra un gommone di migranti visto da una prospettiva inedita rispetto alle foto che di solito raccontano questi esodi e che siamo abituati a vedere. È stata scattata al livello dell'acqua e fa vedere come la prospettiva del migrante, di chi fugge, del naufrago, sia praticamente sotto le onde. Mi racconti come è stata scattata?

Scattai quella foto nel febbraio 2018 durante un salvataggio con Proactiva Open Arms.

Di solito durante i salvataggi ti devi adattare alle circostanze e lavorare come le condizioni te lo permettono. In quel caso la situazione era abbastanza tranquilla perché erano già arrivate le scialuppe di salvataggio, avevano già distribuito i giubbotti salvagente e le persone erano al sicuro.

Io cerco sempre di documentare nella maniera più onesta possibile quello che accade davanti ai miei occhi: se ci

Olmo Calvo
21 dicembre 2019.
Giacomo, medico della nave di Proactiva Open Arms, assiste Sam, un bambino di 2 giorni di vita, e sua madre, soccorsa assieme ad altre 300 persone a 70 chilometri da Homs, in Libia.

sono donne o bambini sull'imbarcazione, in che condizioni di salute si trovano, se ci sono feriti. Di solito ci sono sempre situazioni di emergenza da raccontare. Quella volta, invece, stavamo aspettando l'imbarcazione più grande, su cui poi sarebbero stati fatti salire tutti i migranti, ma in quel momento le persone erano già al sicuro. Mi è venuta, quindi, l'idea di fare la foto a pelo d'acqua, con un grandangolo proprio per dare l'idea del senso di insicurezza, di pericolo in cui si trovavano. Il gommone che ondeggiava in quel momento era una metafora perfetta della fragilità della loro vita. Ho voluto provare a racchiuderla in un'immagine.

Volevo cercare di spiegare cosa si prova a essere lì, su uno di quei barconi.

Hai mai fotografato la morte?

No, non sono mai stato testimone di un naufragio nel Mar Mediterraneo. Non ho mai fotografato morti affogati durante questi salvataggi. Mi è capitato in altre situazioni di fotografare cimiteri, persone sepolte.

C'è sempre una domanda che mi pongo osservando il tuo lavoro e quello dei tuoi colleghi che si occupano di migrazione. Dov'è il limite tra la testimonianza fotografica e la possibilità di aiuto? Mentre eri in mare, ti è mai venuta voglia di posare la macchina e aiutare le persone?

Prima di essere fotografi o giornalisti siamo delle persone. Non penso che esista un limite standard, un limite concreto e sempre uguale che dobbiamo porci. Dipende sempre dalle circostanze. Noi fotografi siamo lì per fare il nostro lavoro, per registrare, documentare in modo onesto la situazione. Penso però che se fosse richiesto il mio aiuto, non esiterei neanche un momento a posare la fotocamera e a prestare soccorso. E questo credo che valga anche per la maggioranza dei miei colleghi.

Un caso molto celebre in tal senso è diventato quello di Lesbo. Lì il contributo dato dai giornalisti e dai fotografi è stato veramente importante. Quasi un milione di persone si sono spostate dalla Turchia verso le isole della Grecia, a Lesbo in particolare. C'era un viavai di scialuppe di salvataggio costante tutti i giorni e, fondamentalmente, non c'era nessuno ad aiutare e accogliere queste persone. Mancavano anche i volontari per un primo contatto di accoglienza, a volte serviva una mano per far scendere le persone dalle imbarcazioni, che rimanevano magari un po' distanti dalla riva e spesso erano piene di bambini. I soccorsi erano praticamente assenti.

A questo proposito, è emblematico anche il caso delle frontiere. Ho lavorato spesso lungo le frontiere in Grecia, nel Mediterraneo centrale, nel Sud della Spagna. Molte volte in queste situazioni lo Stato è un grande assente, i primi a prestare soccorso alle frontiere spesso non sono le autorità ma i volontari, le persone comuni. Lo Stato in alcuni casi si fa vedere solo quando ha intenzione di chiudere le frontiere, di vigilarle.

Quali sono le storie di migranti vissute in prima persona che ti hanno maggiormente segnato?

Nel corso della mia ultima missione con Proactiva Open Arms a dicembre 2018, avemmo modo di salvare tre imbarcazioni, per un totale di 311 persone. Cercammo a lungo un porto sicuro in cui approdare per metterle in salvo: ci trovavamo al largo della costa libica, ma in quel momento diversi Paesi vicini, che avrebbero potuto occuparsi del salvataggio, decisero di chiudere i loro porti.

Per una settimana dovemmo navigare verso le coste meridionali spagnole, con le persone che dormivano ammassate sui barconi in condizioni estremamente critiche.

Uno di questi salvataggi in particolare avvenne di notte e fu molto importante. Quando individuammo l'imbarcazione, in teoria se ne sarebbe dovuta occupare la Guardia costiera libica, ma poi non andò così e Proactiva Open Arms insistette perché la rintracciassimo: se fosse andata smarrita, probabilmente non si sarebbe più trovata. Fu un'azione fondamentale anche perché delle tre imbarcazioni, la terza, quella che venne salvata di notte, era quella dove c'erano più bambini a bordo.

Uno dei piccoli sulla barca, Hassan, aveva solo due giorni di vita. Era nato sulla spiaggia prima della partenza ed era lì con la mamma, proveniente dal Burkina Faso. I medici erano molto preoccupati perché il neonato non mangiava, non voleva essere allattato ed era visibilmente malnutrito. Chiesero un trasferimento urgente in un luogo sicuro per lui e la madre. Malta mandò un elicottero, il bimbo venne tirato su con delle funi e trasferito in un ospedale. Non avevo mai assistito a niente del genere. Forse è anche il bambino più piccolo che

Olmo Calvo
1 luglio 2018.
Migranti provenienti da
Paesi diversi festeggiano
ballando sul ponte della
nave di Proactiva Open
Arms dopo il salvataggio.
L'Italia e Malta hanno
respinto la nave, che
è dovuta sbarcare a
Barcellona con le 60
persone soccorse.

mi sia capitato di incontrare durante uno di questi salvataggi.

Un'altra storia molto toccante è quella di Hembram, un ragazzo somalo di 14 anni. Questo ragazzo aveva una bruttissima ferita sul volto e un'infezione in corso molto grave. Disse di essere stato picchiato dalla Guardie costiera in Libia. Aveva il viso molto gonfio, secondo i medici rischiava di perdere un occhio. Parlava perfettamente l'inglese e per tutto il viaggio fece da interprete per molti compagni di viaggio somali che non sapevano altre lingue. Si era speso come poteva per aiutare. A un certo punto della notte scoppiò a piangere per il dolore atroce e a quel punto i medici chiesero un trasferimento urgente. Sorprendentemente, l'Italia mandò un motoscafo per recuperalo e scortarlo in un ospedale italiano. Nonostante la giovane età, Hembram viaggiava da solo e poco prima di lasciare l'imbarcazione chiese all'equipaggio la cortesia di avvisare la madre che stava per essere portato in Italia.

Secondo te, boicottare le Ong, bloccarle, infangarne l'operato, oltre a fermare l'aiuto umanitario, ha significato anche impedire il racconto di ciò che sta accadendo nel Mediterraneo con le operazioni della Guardia costiera libica?

Il tema migratorio è molto complesso ed è chiaro che noi testimoni siamo occhi scomodi per alcuni. È raro che i giornalisti o i fotografi siano ben visti nei posti in cui si recano, proprio perché cercano di documentare, di mostrare con onestà quello che accade. Ed è chiaro che c'è chi non vuole che tutto ciò venga documentato.

L'Europa, che in teoria dovrebbe essere garante del rispetto dei diritti umani, in realtà già da tempo ha delegato alcuni dei suoi compiti a Paesi che, invece, continuano a perpetrare delle violazioni molto gravi. L'Italia, per esempio, è sempre stata una grandissima alleata del governo Gheddafi.

Il controllo dell'immigrazione come viene gestito oggi non è una novità per Paesi come questi: ai tempi di Gheddafi la Libia faceva esattamente quello che l'Italia chiedeva di fare. I centri di detenzione esistevano già all'epoca e circolavano già racconti e storie raccapriccianti. Chi è riuscito a scappare ha raccontato cosa succedeva in quei centri e come veniva trattato chi cercava di fuggire.

Raccontare non è mai semplice. Sono anni, per esempio, che cerco di recarmi in Libia per documentare la situazione, ma non ci sono mai riuscito. Una volta non mi hanno concesso il visto, un'altra volta mi hanno detto che la situazione non era sicura. Le domande chiave che in questo momento ci dobbiamo porre sono: chi sono queste guardie costiere libiche, chi le dirige, quali delle diverse fazioni che si scontrano in Libia oggi controllano le acque del Mediterraneo?

Poco tempo fa è stato ucciso, vittima di uno scontro armato, Mohamed Ben Khalifa, un fotoreporter e cameraman libico di 35 anni che collaborava con l'agenzia di stampa Associated Press. È morto proprio a sud di Tripoli, mentre cercava di raccontare gli scontri armati tra le diverse milizie in lotta per il controllo della Libia. Era rimasto uno dei pochi a raccontare il lato oscuro della quotidianità dei conflitti libici. Le condizioni di lavoro di questi fotoreporter e giornalisti locali sono segnate quasi sempre dall'ostilità delle milizie e delle autorità, dal controllo e dalla censura. E noi giornalisti occidentali spesso non abbiamo accesso a questi avvenimenti. Molti di noi hanno cercato senza successo di andare in Libia. Solo in pochi ci sono riusciti e ci hanno consegnato reportage che hanno fatto il giro del mondo. Evidentemente c'è chi vuole mantenere il silenzio su quanto sta accadendo.

Le vittime innocenti e umili di questa tragedia sono vittime di un gioco politico. Sono persone che non c'entrano nulla. Il ruolo di noi fotografi e giornalisti è senz'altro quello di documentare il più possibile quello che succede, sfonda-

Olmo Calvo

4 luglio 2018. I 60 migranti a bordo della nave di Proactiva Open Arms durante il viaggio a Barcellona.

119

re questo muro di silenzio. E penso che il lavoro costante delle Ong svolga un ruolo molto importante in questo caso, riuscendo a dare visibilità al problema e a permettere a noi giornalisti di fare il nostro lavoro.

Mi rendo conto che nessun gesto artistico, nessun gesto di accusa è sufficiente a cambiare il mondo, ma ogni azione può spostare lentamente la comprensione di un fenomeno tramite la denuncia, la bellezza, la disperazione. Per te cos'è la fotografia?

Sono d'accordo con te. Il mio lavoro, come quello dei miei colleghi, non può essere sicuramente in grado di cambiare da un giorno all'altro il mondo e le politiche che lo regolano. Ognuno di noi, però, con il lavoro che svolge, riesce a portare il proprio granello di sabbia tramite il quale costruiamo il nostro passato, il nostro presente e andiamo a incidere sul nostro futuro. Il nostro lavoro di giornalisti e fotografi sul campo per documentare quello che accade ha un impatto. E questo impatto influisce sugli eventi. Ad esempio, penso che il merito della mia fotografia sia stato quello di rivelare una realtà anche a persone che altrimenti l'avrebbero ignorata. Cambierà qualche politica, rovescerà governi? Assolutamente no, non credo. Però penso che a poco a poco il mio lavoro, così come quello di altri colleghi o il tuo, sia in grado di plasmare una realtà diversa.

Non penso che esista l'oggettività, ed ecco perché nel mio lavoro parlo sempre di onestà. Racconto le cose così come le vedo. Ed è importante che ci siano professionisti indipendenti che, per quanto partano da un punto di vista soggettivo, provino a raccontare quello che vedono.

Spesso, quando si parla di queste tematiche, si riporta l'attenzione sul caso di Alan Kurdi, il bimbo trovato morto su una spiaggia della Turchia, a Bodrum. Secondo me è un bene che si parli di questa immagine e di questa storia. La grande domanda è: questa fotografia è servita? Documentare l'accaduto quali effetti ha prodotto? C'è chi dice che l'effetto sulla gente sia stato positivo, chi dice che sia stato addirittura negativo. Per me è andata semplicemente come doveva andare. Quell'avvenimento tragico doveva essere documentato a tutti i costi, le persone avevano il diritto di conoscere l'accaduto. Chiaramente questo ha delle conseguenze imprevedibili, ma credo che sia doveroso documentare sempre quello che accade in queste circostanze, mettendo al corrente di queste storie chi non le vive in prima persona.

Olmo Calvo
Algeciras, Spagna, 25 luglio 2018.
Una donna, ritratta accanto a una bandiera spagnola, attende il suo trasferimento dopo essere stata soccorsa nello stretto di Gibilterra da una nave di salvataggio.

Piccolo prontuario per antirazzisti

Il racconto di ciò che accade in Italia, nel Mediterraneo e più lontano ancora, nei Paesi da cui chi decide di emigrare fugge, non può essere condensato in un meme, necessita di parole, studio e di attenzione. Il tempo di un tweet che veicola uno slogan è breve, il ragionamento impiega invece minuti, ore, serve un articolo, talvolta un libro perché tutto sia spiegato nel dettaglio. E a noi è richiesta una dose importante di responsabilità. Dobbiamo meritare la nostra storia perché non siamo solo il nostro presente, ma siamo anche il nostro passato, ciò che prima di noi è venuto. Siamo i nostri fallimenti e i fallimenti dei nostri padri, ma siamo anche e soprattutto le loro rivincite, i loro trionfi che non sono mai venuti da egoismo, cattiveria, cinismo, razzismo.

È per questo motivo che ho provato a mettere insieme un piccolo prontuario, una sorta di cassetta degli attrezzi che potrà essere utile a smontare le menzogne più diffuse sui migranti e sulle Ong.

I migranti arrivano tutti in Europa: falso!

La maggior parte dei Paesi che ricevono profughi non sono Paesi europei o Paesi occidentali. L'86% (dato Limes) dei rifugiati raggiunge Paesi in via di sviluppo. In Turchia si dirigono la maggior parte delle persone in fuga dalle guerre vicine (Siria, Afghanistan), al secondo posto c'è il Pakistan, poi il Libano, l'Iran, l'Etiopia e la Giordania. L'Africa è il continente che produce meno migrazione perché mancano i mezzi economici per partire (dossier Ispi).

Sono quasi 3 milioni i rifugiati intorno al Lago Ciad, dove si sta consumando una delle peggiori crisi umanitarie del nostro tempo e che tocca l'intera regione compresa tra il Ciad, il Niger, la Nigeria e il Camerun. Profughi e sfollati vivono in condizioni infernali a Diffa, ad Assaga, a Yebi e cito solo alcuni di questi luoghi, dimenticati e infinitamente più numerosi di quelli che si affacciano sulle rive del Mediterraneo.

In Uganda, i rifugiati arrivati in seguito al riaccendersi delle violenze in Sud Sudan sono oltre 900mila, molto al di sopra delle migliaia che l'Europa non riesce e non vuole gestire. Situazioni drammatiche e dimenticate, che le Ong testimoniano ogni giorno attraverso i loro operatori impegnati a garantire un accesso dignitoso alla salute e all'acqua. Sono davvero ingenui utopisti che vogliono ancora salvare le vite umane mentre, come dicono alcuni, "non possiamo più permettercelo"? Non è così. In realtà pensare di presidiare il Mediterraneo con le navi da guerra per fermare i flussi migratori, appaltare ai libici il lavoro sporco è la vera colpevole ingenuità.

I migranti sono anche trafficanti: falso!

L'unica connessione che esiste tra trafficanti e migranti è che i primi sono aguzzini e i secondi le loro vittime. Il trafficante sfrutta la necessità della fuga, quindi smettere di salvare i migranti in mare non porta al trafficante un guadagno inferiore perché non guadagna dalle vite salvate ma dalla complessità dell'approdo. Più le porte dell'Europa sono chiuse, più il trafficante guadagna; più le persone muoiono in mare, più si escogiteranno nuove forme articolate e quindi costose di accesso all'Europa. Se non esistono canali legali per raggiungere l'Europa, il viaggio sarà più difficile e quindi più costoso e carico di sofferenze. Sovrapporre i migranti e le Ong ai trafficanti serve a bloccare l'empatia, ovvero la capacità innata che l'uomo ha di riuscire a immedesimarsi nelle sofferenze altrui.

Se i migranti hanno il telefonino significa che non sono in stato di necessità: falso!

Da sempre l'umanità, quando si è messa in viaggio, ha avuto l'esigenza di creare mappe. Da sempre ha cercato luoghi in cui rifugiarsi mentre scappava, persone a cui rivolgersi per dare l'allarme su un pericolo o per riceverlo. In passato c'erano mappe disegnate sui corpi, cartine sottratte di nascosto. Gli schiavi africani deportati negli Stati Uniti, le mappe le conservavano nelle canzoni che cantavano durante la raccolta del cotone; essendo analfabeti, col canto trasmettevano le informazioni su come affrancarsi dalla schiavitù attraverso la strada sotterranea e segreta della libertà. Allo stesso modo era fondamentale individuare, con segnali di fumo, i luoghi dove venivano lasciate le riserve d'acqua quando si fuggiva nel deserto. Oggi il canto, le mappe sui corpi e i segnali di fumo sono stati sostituiti dagli smartphone che non sono un privilegio, che non sono ricchezza, ma vita.

Se lo sguardo però è il nostro, se misuriamo l'utilizzo degli smartphone su quello che ne facciamo noi, cadiamo nell'errore più grossolano. Lo smartphone dei migranti non è il gioco della chat, la fotografia da postare, chiamarsi decine di volte senza dirsi niente; lo smartphone, per i migranti, è possibilità di ricevere aiuto in situazioni di solitudine e di difficoltà, è in molti casi l'unico canale per contattare parenti e amici e pregarli di pagare riscatti. Il telefonino è l'unico modo per sottrarsi a stupri, a torture, a violenze. È ancora possibile, sapendo tutto questo, che ci disturbi vedere gli immigrati con i loro cellulari?

I migranti portano malattie: falso!

Quando arrivano sul suolo italiano tutti i migranti sono controllati e vaccinati e, a oggi, il Ministero della Salute non ha mai registrato alcun caso di epidemia partito dai migranti.

Giulio Piscitelli
Melilla, Spagna, agosto 2014.
Immigrati subsahariani cercano di scavalcare la rete di confine tra Spagna e Marocco.
Melilla è un'enclave spagnola in territorio marocchino; la recinzione è stata costruita per impedire il passaggio dei migranti in Europa.

I report dei medici che prendono in cura i migranti quando arrivano in Italia parlano, invece, di ferite inferte nei campi di prigionia libici, di ustioni, di denutrizione e di traumi causati dalle sofferenze patite.

Gli immigrati ci rubano il lavoro: falso!

Agli immigrati sono riservati lavori non qualificati che gli italiani rifiutano. Di tutta la comunità migrante solo il 7% svolge un lavoro qualificato (il 7% sempre di quell'8,7%). I loro stipendi sono nettamente inferiori a quelli degli italiani. Versano oltre 8 miliardi di euro all'INPS, detto in altre parole: ci pagano le pensioni.

L'Italia è al collasso, non può accogliere più nessuno: falso!

Tra il 2015 e il 2025 gli Italiani diminuiranno di 1,8 milioni di persone. Per garantire l'attuale capacità produttiva del Paese – e soprattutto per garantirne il sistema previdenziale – è necessario che nei prossimi anni arrivino 1,6 milioni di migranti. E anche per evitare che interi paesi del Sud Italia muoiano, paesi dove solo accogliendo nuclei familiari stranieri si può immaginare di tenere in vita la scuola e la comunità. Ci hanno raccontato che limitando l'accoglienza la vita del Paese sarebbe migliorata, la condizione economica italiana sarebbe migliorata. Bene, nel 2018, con la politica messa in atto dal governo, gli sbarchi di migranti in Italia sono diminuiti dell'80% rispetto all'anno precedente. Eppure, la crescita del PIL è diminuita e a dicembre 2018 il fatturato su base annua è crollato del 7,3%. Ma come, non era l'accoglienza ai migranti il problema dell'economia del Paese?

La maggior parte degli immigrati commette crimini e reati: falso!

Solo una minoranza della comunità di immigrati presente in Italia delinque e gli immigrati coinvolti nelle inchieste sul narcotraffico lavorano per organizzazioni mafiose italiane. In Italia esistono organizzazioni criminali straniere ma sono tutte – compresa la mafia nigeriana, con buona pace dei sovranisti appassionati al tema – subordinate alle mafie autoctone e italianissime.

Se si fosse votata la legge sullo Ius Soli sarebbero aumentati gli sbarchi in Italia: falso!

Nei giorni in cui il progetto di legge era in discussione al Parlamento, era un mantra ripetuto ovunque. La legge sullo Ius Soli non avrebbe riguardato gli immigrati in arrivo in Italia, ma bambini nati in Italia da genitori immigrati con regolare permesso di soggiorno, e quindi con un lavoro. Non solo: la normativa avrebbe previsto un percorso di 5 anni nelle scuole italiane. Quindi lo Ius Soli serviva a dare diritti a bambini a tutti gli effetti italiani, di nascita e di formazione.

L'assurdità delle frontiere.
Conversazione con Carlos Spottorno

Carlos Spottorno, fotoreporter spagnolo, 48 anni. La sua è una fotografia di testimonianza, direi di verità. Quando racconta i migranti, e non solo, nel suo sguardo c'è la ricerca di prove, e non semplicemente prove documentali o testimoniali, ma prove umane. È così che interpreto il suo lavoro.

Perché hai scelto, a un certo punto della tua vita, di raccontare gli esodi e le migrazioni e come ti ha cambiato lavorare su questi temi e in quei territori?

Il tema delle migrazioni è quasi d'obbligo per chi vive o chi lavora in questi anni. In realtà ho cominciato questa ricerca su incarico, ma avevo già lavorato per conto mio sull'idea della crisi nel Sud dell'Europa e sulle crepe che esistono tra Nord e Sud.

Tra la fine del 2013 e l'inizio del 2014 chiesero a me e al mio collega Guillermo Abril di andare nelle regioni del Sud dell'Europa, e lì cominciammo a vedere come ciò che era nato nel 2011 – cioè le Primavere arabe in Tunisia e in Libia, dove ero già andato per conto mio – stesse esplodendo. Era chiaro che era un soggetto che dava e avrebbe dato forma alla nostra vita anche negli anni a venire.

Le idee che ti eri fatto studiando e osservando la cronaca hanno trovato conferma stando lì o sono cambiate?

Alcune cose hanno trovato conferma, cose che già sapevo: l'ineguaglianza, l'assurdità delle frontiere, ma anche la loro inevitabilità, a quanto pare. Sapevo che l'Europa avesse delle frontiere, ma io non le avevo viste: andare a mettere il piede dove finisce la Grecia e un metro più in là c'è la Turchia, questo in genere non si vede e invece esiste ed è molto sorvegliato.

I cambiamenti fondamentali che ho notato li ho visti semplicemente seguendo gli avvenimenti. Mi sono accorto che l'Europa – di cui avevo già intuito anni prima le piccole crepe – si stava sgretolando a una velocità non prevista: le davo venticinque anni, adesso gliene do cinque. È successo a una velocità incredibile. Per quel che riguarda la gente, i migranti, io non ero consapevole della quantità di persone che ha bisogno di fuggire, sapevo che era tanta, ma non immaginavo l'entità e l'urgenza di questo fenomeno.

Quando dici che l'Europa si sta sgretolando, a cosa ti riferisci?

Mi riferisco al fatto che vediamo i diversi Paesi reagire in modo individuale alle diverse situazioni, in particolar modo al fenomeno delle migrazioni. La reazione dell'Ungheria non ha nulla a che fare con la reazione del Portogallo, che per esempio non sta mostrando nessun tipo di protagonismo rispetto a questo aspetto. I Paesi dell'Europa meridionale – la Spagna, l'Italia e la Grecia – hanno qualcosa in comune che, invece, per molto tempo non è stato compreso dai Paesi del Nord. E lo stesso vale per i Paesi dell'Est: il gruppo di Visegrád lo affronta in modo completamente diverso, e c'è anche una componente religiosa che nell'Europa occidentale non ha tanto importanza, nemmeno in Italia. La stessa Brexit, infine, è una reazione direttamente legata all'annuncio che fece Angela Merkel nel 2015, quando lasciò intendere che avrebbe accolto tutti i migranti: la famosa foto del piccolo Alan Kurdi innescò una reazione nella politica tedesca, e subito dopo anche nella politica inglese.

Ci sono degli episodi che ti hanno particolarmente segnato dal punto di vista umano mentre fotografavi i migranti? Ci sono stati dei momenti che ti hanno cambiato?

Sì, ci sono stati diversi eventi che mi hanno colpito, cambiato. Penso a tre momenti in particolare. Uno è stato in Marocco,

Carlos Spottorno
Mar Mediterraneo, marzo 2014.
Una bambina siriana viene portata a bordo della fregata Grecale della Marina Italiana, in uno dei salvataggi durante dell'Operazione Mare Nostrum.

sul monte Gourougou, dove c'è un bosco in cui vivono delle persone, per lo più uomini africani, che aspettano il momento giusto, l'ora giusta, per scavalcare la barriera e andare a Melilla o a Ceuta. Ci sono stato un paio di volte e lì le condizioni di vita sono molto difficili, la gente vive letteralmente nel bosco, senza un tetto, per mesi; non c'è niente da mangiare o da bere, non ci si può lavare. È terribile dormire a terra senza neanche una coperta da mettersi addosso, o cibarsi della spazzatura che si recupera nel paese a valle. Un altro momento che sicuramente mi ha cambiato è stato assistere a un'operazione di salvataggio sulla Grecale, una nave italiana. Era una giornata di sole, il mare era piatto e apparentemente non c'erano pericoli. Eppure, vedere uno di quei barconi in mezzo al mare ti fa rendere conto delle dimensioni del mare; capisci cosa vuol dire trovarsi lì, da soli, in questa barchetta di legno che può affondare in qualsiasi momento, magari senz'acqua, può succedere di tutto. Scene come queste ti fanno comprendere la fragilità di una situazione del

Carlos Spottorno
Mar Mediterraneo, marzo 2014.
Un barcone con quasi 200 persone a bordo partite dalla Libia, poco prima dell'operazione di salvataggio da parte della fregata Grecale della Marina Italiana.

genere, ti fanno pensare a come ci si possa sentire quando si è lì sopra, alla paura reale di poter morire. E ho provato tutto questo durante una giornata di sole, non oso immaginare durante una tempesta. Infine, un'ultima cosa che, come me, ha colpito molti colleghi giornalisti e fotografi, in particolare durante l'esodo dei Balcani del 2015, ma si continua a vedere anche oggi: mi riferisco alla condizione di molti bambini che si trovano a dover camminare con il proprio zainetto per chilometri e chilometri, e lo fanno senza lamentarsi. Per chi, come me, è padre di un bambino di 9 anni – e ovviamente cerca di proteggerlo in qualsiasi modo, anche se in realtà non gli succede mai nulla – vedere questi bambini di tre, quattro anni camminare senza lamentarsi fa venire le lacrime agli occhi.

Quando fotografi i migranti, cambia il tuo modo di fotografare? Ti poni delle questioni etiche o tecniche diverse?

134

Il principio etico fondamentale che seguo è che se trovo qualcuno che non vuole essere fotografato, che me lo fa capire in qualche modo, con un gesto o uno sguardo, io non lo fotografo. Cerco di non scadere nel gusto morboso dell'orrido, credo che non ce ne sia bisogno e sicuramente non aiuta i migranti. Dal punto di vista tecnico, cerco di fotografare tutto quello che succede davanti a me, perché a me non costa niente, costa solo uno sforzo relativo, e questi sono documenti che rimarranno anche quando io non ci sarò più. Siamo in tanti a farlo, ma questo non vuol dire che non dobbiamo fare tutte le foto possibili nel momento in cui le cose accadono. Poi il tempo dirà quali sono utili e quali no.

Ci sono delle situazioni in cui non riesci a fotografare – di fronte alla morte o di fronte a una situazione di conflitto – o in cui magari hai paura a rischiare? Ti poni un limite?

Io sì, mi pongo un limite in effetti. A differenza di altri colleghi, non mi sono mai trovato in una situazione di pericolo di vita per me. Ho visto situazioni di pericolo per altri, ma non per me, anche perché cerco di evitarle. Ormai penso di conoscermi, e so in quali situazioni avrei paura, una paura che potrebbe essere anche pericolosa per me, perché quando se ne ha troppa non si pensa bene, non si reagisce bene e quindi non si fanno le cose bene. Non credo che il coraggio bellico sia il mio forte, la mia caratteristica principale; al contrario, sono una persona analitica, e questo riesco a farlo bene. Non mi sono mai trovato in una situazione che non fossi in grado di fotografare, ma ho anche fatto in modo di non trovarmi in posti in cui probabilmente non sarei stato capace di reagire.

C'è una tua fotografia alla quale sei particolarmente affezionato?

Questa è una domanda a cui mi è quasi impossibile rispondere, però mi sono trovato a fare questa scelta quando ho realizzato la copertina del mio libro *La crepa*. È l'immagine di una bambina siriana di 5-6 anni al momento del salvataggio da parte di una nave italiana, e trovo riassuma bene quanto sta accadendo: da una parte ci sono delle persone che vengono da lontano e vengono salvate da un corpo militare italiano o europeo; ma allo stesso tempo le strutture politiche fanno in modo che ci siano delle disuguaglianze, delle guerre che fanno scappare queste persone, che poi vengono recuperate in mare. Come in un cerchio diabolico, si provocano le guerre e poi si salvano le persone che sono fuggite da questi conflitti.

Passiamo alla polemica innescata da un tweet dell'attuale vicepremier italiano Luigi Di Maio, che ha definito le Ong "taxi del mare". Secondo te, dal punto di vista di una persona che ha fotografato e condiviso quegli spazi, com'è possibile che una grande fetta dell'opinione pubblica italiana ed europea consideri le Ong un braccio dei trafficanti?

Penso sia possibile perché il sillogismo è molto semplice, l'argomentazione di Di Maio e di chi come lui sostiene questa teoria è elementare: tu metti una nave al confine delle acque territoriali, ti fai vivo davanti ai migranti, che sanno dove sei, e dopo un po' arrivano a contare su di te; e così anche i trafficanti contano sul fatto che ci sarà qualcuno a salvarli. Un racconto così è semplice da capire e facile da "comprare". A questo punto, però, bisognerebbe dire che anche la Marina italiana e l'Armada spagnola sono taxi, perché hanno fatto la stessa cosa. Molti non sanno che le Ong e le marine militari cooperano tutti i giorni e che sono pienamente collaborative, o almeno lo sono state fino a poco tempo fa, prima della chiusura dei porti. Finché i porti non erano bloccati, prima che

Carlos Spottorno
Tovarnik, Croazia, settembre 2015.
Una madre copre il volto della figlia in mezzo alla confusione della folla di rifugiati che aspetta di essere portata a bordo di un autobus per partire verso l'Europa centrale.

la politica cambiasse radicalmente, c'era cooperazione totale. Questa è una cosa che spesso non si sa.

Com'è possibile che – cito le tue parole – "la buona volontà sia diventata buonismo"? Che qualsiasi comportamento empatico o che mira a una forma di giustizia e di equità sia percepito come un comportamento insincero, paraculo, che nasconde sempre qualcosa, e quindi che tutto ciò che parla di buona volontà sia in qualche modo sospetto?

Credo che questo sia un effetto, una manifestazione come tante altre della polarizzazione della nostra politica, italiana, spagnola ed europea. Quando si sceglie una squadra, si sposa tutto quello che dice e si diventa supporter del proprio gruppo politico. Se un'attività, per buona che sia, viene legata a un'idea, a un gruppo politico e a una visione politica in particolare, questa viene etichettata in un determinato modo, e quindi una

Carlos Spottorno
Tovarnik, Croazia, settembre 2015.
Un gruppo di migranti provenienti da Šid, in Serbia, cammina verso il centro del Paese.

volta che hai una targa non te la togli più; e siccome anche a titolo individuale le persone sono sempre meno disposte all'ibridazione politica, possiamo dire che si è più polarizzati anche da questo punto di vista.

Questo atteggiamento lo registriamo anche in Spagna: proposte e idee che sarebbero ragionevoli non vengono sostenute perché sono già etichettate come qualcosa di cattivo secondo un determinato punto di vista. Ecco perché salvare i rifugiati in mare viene visto come buonista, come stupido, come qualcosa che va contro la tua integrità, perché è frutto di altri atteggiamenti che non si possono separare.

Prima hai citato la foto di Alan Kurdi, che è tornata in tutte le conversazioni che ho fatto con i fotografi di questo libro. Hai detto chiaramente che l'impatto di quella foto ha cambiato la storia dell'Europa. Secondo alcuni tuoi colleghi è stato un impatto di minore durata rispetto, per esempio, a quello che ebbe la foto di Kim Phúc, la bambina che scappa dal villaggio vietnamita bombardato con

il Napalm nel 1972: quella è una foto che ha avuto davvero un'onda lunga, è entrata negli occhi, è stata elaborata, è ritornata, e ha pesato moltissimo nelle scelte politiche internazionali. La foto di Alan ha suscitato una reazione molto più breve perché l'odierno "consumo da click" della fotografia è diverso da quello del magazine? Nell'epoca in cui la fotografia è entrata prepotentemente nella vita quotidiana delle persone è cambiata la sua persistenza?

Sicuramente è cambiata. Il mondo non è più quello dei magazine, dove veniva pubblicata una sola foto perché c'era scarsità di foto. Oggi la scarsità è stata soppiantata dalla sovrabbondanza, e ciò ha cambiato anche il modo di "consumare" l'immagine.

Per quanto riguarda in particolare la foto di Alan, vedremo in futuro. Io non la dimenticherò mai e penso che all'epoca della sua diffusione abbia avuto un forte impatto; poi è stata sepolta da molte altre immagini, ma con il tempo riemergerà. Sarà necessaria una visione più distaccata: quando sapremo cosa succederà all'Europa – e questo lo sapremo solo nei prossimi anni – allora saremo in grado di capire quanto sia stata importante quell'immagine e, secondo me, lo è stata molto.

Può tornare la fotografia a essere un motore di cambiamento come lo era negli anni Sessanta e Settanta? Secondo me sì, in modo diverso. Non funziona più come prima, le decisioni adesso si prendono velocemente e le reazioni sono immediate; ad esempio la Cancelliera tedesca vede l'immagine di Alan e poche ore dopo reagisce, prima occorreva una settimana per avere una reazione. Ora le cose succedono subito, succedono e si dimenticano molto velocemente. La vita umana, però, è più o meno la stessa, le nostre dimensioni sono più o meno le stesse, la nostra aspettativa di vita è aumentata ma non di molto, non vivremo cinquecento anni. Tra una generazione potremo vedere cosa è stato Alan.

Sarà il tempo a decidere.

C'è un aneddoto, apocrifo sicuramente, che avrai sentito: a Mao Zedong venne chiesto, in quanto rivoluzionario, cosa ne pensasse della Rivoluzione francese, e lui rispose "È troppo presto per saperlo". E probabilmente è vero. Ci sono cose cui proviamo a dare una spiegazione troppo presto. Si nota anche invecchiando (io mi avvicino ai cinquanta): ci si rende conto della diversa percezione degli eventi con il passare del tempo. Ad esempio, quando ero bambino, le guerre napoleoniche erano fantascienza, ora invece riesco a capire che hanno avuto un impatto diretto sulla mia vita.

Torniamo al tuo lavoro. Nella tua carriera di reporter di esodi hai vissuto qualche altra esperienza che ti ha particolarmente colpito e che ti va di raccontare?

Due esperienze. Una risale a un paio di anni fa a Salla, in Finlandia. Eravamo al di là del Circolo Polare Artico, a un passo di frontiera con la Russia, era il 30 gennaio e faceva freddissimo. A un certo punto arriva una macchina con dentro una famiglia afghana e due camerunensi. Sapevamo che queste cose succedevano, però non ci aspettavamo di essere lì nel momento di arrivo di una di queste macchine. In pratica, alcuni migranti hanno capito che è talmente difficile passare attraverso il Mediterraneo che hanno deciso di prendere una strada molto più lunga, ma apparentemente più semplice: vanno in Turchia, da Istanbul prendono un aereo per Mosca, da qui prendono una macchina per Murmansk, dove poi comprano una Volga o una Lada che cade a pezzi per mille euro, e con quella arrivano in Finlandia. Chi crede che l'immigrazione si fermi davanti a qualcosa non ha capito nulla, non si ferma davanti a nulla, perché chi vuole sopravvivere cerca di farlo in qualunque modo. Non lo dico per spaventare, ma per far riflettere su questo fenomeno in un modo diverso.

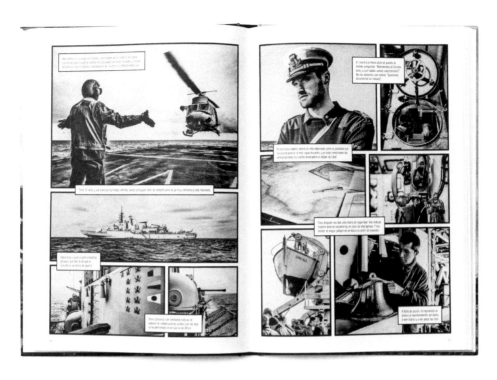

Dal volume *La crepa* di Carlos Spottorno e Guillermo Abril, tradotto da Francesca Bianchi per add editore, 2017.

La seconda esperienza risale a un mese fa in Libia, e quello che ti sto per raccontare lo si può verificare direttamente chiedendo alle Nazioni Unite. In Libia non esistono solo centri di detenzione, ma anche centri delle Nazioni Unite, nei quali cercano di individuare le persone che avrebbero diritto allo status di rifugiato politico e le trasferiscono a Niamey, una città in mezzo al nulla nel quinto Paese più povero al mondo, il Niger. Qui c'è un centro che si occupa di cercare Paesi – come il Canada o la Norvegia – dove eventualmente portare queste persone: la procedura prevede degli accordi per i quali queste nazioni accolgono i rifugiati ma solo dopo aver effettuato delle interviste dedicate e molto dettagliate, il che rende questi centri una sorta di centro di distribuzione dei migranti.

Carlos Spottorno
Monte Gourougou, Nador, Marocco, gennaio 2014.
Un uomo osserva la città di Nador dal monte dove centinaia di persone aspettano il momento giusto per scavalcare la recinsione di Melilla.

Nel libro *La crepa* hai unito il linguaggio delle graphic novel a quello fotografico. L'obiettivo della tua fotografia è il tentativo di quadrare il cerchio tra bellezza e denuncia, se questo è possibile? Ti sei posto un programma artistico e politico?

Sì, assolutamente. Penso che il mio messaggio sia un messaggio di cui abbiamo bisogno, ma non solo il mio. Mi riferisco al lavoro di tanti, comune e collaborativo. In Europa abbiamo bisogno di capire cosa sta succedendo e sappiamo benissimo, perché ognuno di noi lo sperimenta individualmente, come le informazioni frammentarie che leggiamo su internet ci rendano terribilmente confusi: un giorno veniamo a sapere che sta succedendo qualcosa in Libia, il giorno seguente in Francia, quello dopo ancora in Spagna, e non siamo capaci di legare questi elementi, perché nessuno si prende la briga di farlo o, quando lo si fa, è talmente lungo e noioso che nessuno lo legge. A questo si aggiunge il fatto che la lettura sullo smartphone non invita a leggere più di tanto; per non parlare poi della fruizione delle informazioni da parte dei giovani. Mi sono chiesto come far arrivare una testimonianza che legasse tutto quello che sta succedendo in Europa, in una modalità che potesse essere capita in modo semplice anche da chi non ne sa sulla e abitualmente non segue le news. Questo approccio estetico, artistico se vogliamo, di proporre l'immagine con un cromatismo diverso, con una composizione da graphic novel, secondo me aiuta a rompere la barriera dell'indifferenza, cioè permette di vedere qualcosa di istintivamente bello, che piace e invita a leggere; e se si leggono le prime pagine, ci saranno più possibilità di conquistare il lettore, che forse poi finirà il libro.

Credo di non essere il solo a pensarla così, siamo in molti, con strategie diverse, a essere convinti che la parte estetica dell'immagine serva a catturare l'attenzione del lettore; se non si riesce a fare questo, poi il pubblico non leggerà.

Credi che l'idea, forse un po' romantica, che la fotografia possa cambiare il mondo sia un'utopia o credi davvero in una fotografia capace di trasformare le cose e trasformarle in modo misurabile?

A me sembra di sì, a me sembra che la fotografia sia in grado di cambiare o di far pensare il pubblico, in diversi modi: a volte è un'immagine, una sola, come nel caso del piccolo Alan, che ha cambiato il corso della storia dell'Europa; in altri contesti, l'accumulazione di fotografie può essere utile, come nel caso de *La crepa*, che è un libro di accumulazione, in cui tante immagini offrono una visione panoramica di un momento particolare della storia europea. È un po' come il gioco del biliardo, dove una palla tocca le altre e non si può prevedere dove vadano a finire; però siamo in tanti a giocare e ogni tanto quelle palle arrivano dove devono arrivare.

Laurin Schmid

Gennaio 2018. Numerosi migranti sono stati tratti in salvo dall'Aquarius, nave di ricerca e soccorso di Medici Senza Frontiere e Sos Mediterranée. L'equipe medica di MSF si è occupata di trasportare i casi di emergenza con gli elicotteri della Marina italiana a Sfax, in Tunisia. I medici si sono occupati delle ustioni da carburante e dei casi di ipotermia; molti sopravvissuti erano disorientati e confusi a causa dell'inalazione del carburante rilasciato dal gommone.

I volti di chi salva

Il rischio, quando si parla di chi dedica il proprio impegno agli altri, è di declinare il suo agire dentro una dinamica mistica che porta alla definizione di eroe. Chi soccorre i migranti in mare, chi mette le proprie competenze al servizio di missioni in aree colpite da guerre, miseria e catastrofi non è eroe. L'eroe solleva tutti dalle proprie responsabilità. Ma di fronte ai mali che affliggono l'umanità, capita di perdere speranza e di convincersi che il proprio operato sarà impercettibile se commisurato alla quantità di dolore e di ingiustizia presenti nel mondo. Le persone che incontrerete in queste pagine testimoniano che è vero il contrario: il singolo agire, pur se impercettibile, è l'unica strada che accorcia le distanze tra l'impossibilità di cambiare il corso delle cose e il cambiarlo veramente.

Nicolás Castellano
Giugno 2016. Una donna viene trasportata su un'imbarcazione che ospita circa 350 persone, per essere poi portata a bordo della nave Dignity.

Alessandro Penso
Loris De Filippi,
ex-presidente
di Medici Senza
Frontiere Italia,
nel porto italiano
di Augusta.

"Dai tempi dei primi sbarchi a Lampedusa, quando accoglievamo e prestavamo i primi soccorsi al molo Favaloro, sognavo che le nostre capacità tecniche e la nostra umanità potessero strappare le persone agli abissi. L'immensa gioia che ti dà salvare qualcuno trascinandolo a bordo o rianimandolo per strada te la dà solo il primo vagito di tuo figlio. La commozione del primo salvataggio della Bourbon Argos nel maggio 2015, quando soccorremmo 487 persone in un peschereccio in condizioni davvero precarie, la porterò dentro per sempre".

Alessandro Penso
Oussama Omrane,
mediatore culturale
di Medici Senza
Frontiere, a bordo
della nave Bourbon
Argos.

"Sono nato e vissuto tutta la vita in mezzo al mar Mediterraneo: so benissimo quanto sia bello e docile, ma anche quanto sia spietato e impietoso. Era ingiusto che tanta gente continuasse a morire in modo così terribile. Ero deciso a dare il mio contributo e aiutare, nel mio piccolo, queste persone. Prima di imbarcarmi nella prima missione venivo da un'esperienza professionale di aiuto ai profughi poco gratificante, dove avevo assistito a comportamenti poco 'umani', e mi chiesi: ci sarà un altro modo? Un'altra via? Grazie a Medici Senza Frontiere, sono partito per quella che è stata solo la prima di tante altre missioni, di tante vite salvate, moltissimi volti, storie, sorrisi e pianti".

MSF
L'operatrice
di MSF Lauren King

"Vengo dall'Australia, un paese che da decenni mette in campo politiche migratorie dal costo umano altissimo, leggi che violano i più basilari diritti umani e causano inutili sofferenze a tante persone vulnerabili. Quando anche l'Europa ha fatto un cambio di rotta in questo senso purtroppo non sono stata sorpresa. Imbarcandomi, con un ruolo di comunicazione, ho avuto l'opportunità di dare voce a tante storie diverse. Ho visto persone morire e altre riportate alla vita grazie a un soccorso tempestivo. Ciò che mi rimarrà più impresso, e che ancora adesso mi commuove, sono però i tanti volti pieni di speranza per una nuova vita".

Sara Creta
Paola Mazzoni,
medico di MSF a
bordo di Bourbon
Argos in attesa
dell'imbarco delle
persone salvate nel
Mar Mediterraneo.

"Dopo trent'anni nei reparti di rianimazione degli ospedali romani e altri 15 in giro per il mondo, ho accettato una nuova sfida e nel 2016 mi sono imbarcata sulla Bourbon Argos. Ho deciso di far parte di questa azione nel Mediterraneo perché chi poteva non ha creato vie legali e sicure per chi fugge da guerre e povertà. Perché questo nostro mare non diventasse una fossa comune. A bordo ho visitato tante persone soccorse in mare, persone che siamo riusciti a salvare anche da condizioni molto critiche. Per me è stata una soddisfazione incredibile".

Alessandro Penso
Novembre 2015. Irene Paola Martino, infermiera di Medici Senza Frontiere, accompagna un migrante nigeriano nell'ambulatorio a bordo della nave Bourbon Argos.

La malattia dei gommoni.
Conversazione con Irene Paola Martino

Non avevo idea di cosa fosse il Mediterraneo fino a quando non ho visto la prima imbarcazione in difficoltà e le persone a bordo, lì, a pochi metri da me, e potevo leggerne la paura e il panico negli occhi. Dopo la prima operazione di soccorso e l'arcobaleno di emozioni provato, ho capito che questa sarebbe stata la missione più speciale della mia vita – sia dal punto di vista umano sia professionale – perché ho sentito di essere al posto giusto al momento giusto. E non dall'altra parte del mondo ma nel Mare Nostrum, a due passi da casa.

Le navi di MSF hanno salvato migliaia di persone. Salvato. Letteralmente. Prese dal mare che, altrimenti, le avrebbe prese per sempre. Migliaia di persone che raccontano di viaggi interminabili e pericolosi. Di lunghe attese, di riscatti pagati e di violenze. Di condizioni di vita indicibili.

Irene Paola Martino,
infermiera della nave Bourbon Argos

Cosa ti ha portato a scegliere di imbarcarti sulla nave di una Ong per salvare e assistere persone in mare?

Appurato che non avevo i superpoteri per cambiare il mondo, ho pensato di cercare di rendere qualche angolo di questo mondo un posto migliore per alcune persone, agendo attraverso le mie *nursing skills*, ovvero l'arte di prendersi cura degli altri. In realtà non so se ci sia riuscita, ma mi ostino a continuare a provarci. Perché ho scelto la nave? Forse la nave e il mare hanno scelto me, in realtà. Era arrivato il momento di capire quello che succedeva tutti i giorni non così lontano da casa mia. Mare, terra, aria, deserto, foresta... Io vado dove ho la presunzione di essere utile. Non c'è un perché, ci sono cose che devono essere fatte e basta. O forse perché se fossi io a essere uno dei sommersi, vorrei essere salvata.

Questa scelta ha cambiato la tua percezione del fenomeno migratorio? E cosa ha cambiato nella tua vita? Dato il tuo lavoro di infermiera, non era per te cosa nuova relazionarti con la sofferenza e stare accanto a chi ha bisogno...

La questione migrazione vista da terra è completamente diversa rispetto a quando sei in mare. Quando guardi tutte quelle foto e quei video al Tg all'ora di cena, certo, vedi persone che hanno sofferto e che cercano una vita migliore, ma sono soprattutto tanti numeri da nutrire, vestire, alloggiare, curare, registrare, integrare, ecc. Ecco, numeri prima che persone. E poi arriva lo schiaffo del primo gommone visto con i tuoi occhi, che allunghi il braccio e quasi lo tocchi: i migranti sono così vicini a te che senti le loro voci, senti il loro odore, vedi il bianco delle sclere dei loro occhi, percepisci il terrore di chi non aveva mai visto il mare e forse neppure conosceva quella parola... E i numeri si trasformano in persone, che hanno un nome, che esistono, sperano e sognano, come tutti noi. In quel momento, per quanto tu possa pensare di essere un operatore e un cittadino italiano aggiornato e sensibile, ti rendi conto che di migranti e migrazione non sai proprio niente e che devi iniziare tutto daccapo.

Con l'esperienza impari a confrontarti con (e a gestire, o almeno così pensi) la sofferenza, la frustrazione di non poter salvare anche quei casi che nella tua struttura sanitaria occidentale sono considerati routine; per non parlare dei morti per epidemie di morbillo, colera e difterite, malattie scomparse per vaccinazione o per miglioramento delle condizioni igienico-sanitarie.

Alessandro Penso
Novembre 2015. Irene Paola Martino saluta i profughi e i migranti mentre sbarcano dalla Bourbon Argos per essere trasferiti su una nave norvegese.

Sara Creta
Maggio 2016. Irene Paola Martino a bordo della Bourbon Argos.

A volte diventi "così esperto" che la tua efficienza nel progetto è quasi da multinazionale, più che da organizzazione umanitaria.

In mare dimentichi tutto quello che sai e ritorni a essere di nuovo umano, e ti volti di lato perché è meglio evitare che gli altri vedano le lacrime che non sempre riesci a cacciare indietro. Realizzi che dove nascere è solo questione di fortuna, che su quel gommone potevi esserci tu, ma invece ti è andata bene. Se sulla nave ritorni a essere umano, quando rientri a casa, nella tua città, ogni volta che incontri un migrante per strada ti scopri a pensare che tu sai cos'è il viaggio, ma non è pietà o buonismo, è solo conoscere per capire. Perché se si continua su questa strada del "noi" e del "loro", non si andrà lontano…

Ti sei mai trovata a dover difendere pubblicamente (intendo al ristorante, in un bar, su un treno...) il tuo lavoro e quello di MSF di fronte all'accusa fatta alle Ong di essere trafficanti? Come è possibile, secondo te, che si sia arrivati alla questione politica e giudiziaria? E che si sia arrivati a definire le navi delle Ong "taxi del mare"?

Non entro mai pubblicamente nelle questioni politiche, MSF ha persone incaricate di discutere gli aspetti politici della questione migrazione e non solo. Il mio ruolo è quello di rispondere all'imperativo umanitario di salvare vite umane, alleviare la sofferenza ridando dignità alle persone che si trovano in stato di bisogno e, nel mio caso, ciò avviene attraverso l'organizzazione di servizi sanitari laddove ci sia necessità. Ho avuto l'onore di trascorrere nove mesi in mare a prendermi cura, con il resto del team sanitario e non, di persone che avevano sofferto tutto il male possibile, sia fisico che morale, ma avevano ancora la forza di sorridere e dirti grazie. Non ho mai avuto la disgrazia di dover difendere il ruolo e l'attività di MSF pubblicamente (e neppure nella sfera privata), ma non sono una "persona social", quando non sono in missione mi limito a prendermi cura del mio entourage amicale e familiare. Per il resto, credo che si sia verificato qualcosa sul modello della cosiddetta "macchina del fango" (da te ben descritta) e non posso negare che mi senta spesso in imbarazzo a essere cittadina italiana, quando invece nel Mediterraneo mi sono sentita molto orgogliosa di esserlo, soprattutto quando vedevo gli operatori della nostra Marina Militare e della nostra Guardia costiera che non esitavano a buttarsi in acqua per salvare vite.

Spesso le persone recuperate in mare sono ustionate. Puoi spiegarmi perché?

Su un gommone ci sono in media 120 migranti (il numero varia a seconda delle dimensioni del gommone): la parte centrale è deputata a ospitare le donne, i bambini in braccio alle madri e poi, una volta terminati donne e bambini, gli uomini. Il resto degli uomini viene stipato ai bordi, anche a cavalcioni sui tubolari. Vengono fatti sedere a gambe divaricate, uno incastrato nelle gambe dell'altro, per risparmiare spazio e aumentare così il numero dei trasportati: dovranno mantenere questa posizione per tutta la durata del viaggio (ore? giorni?) in mare, non avranno possibilità alcuna di movimento, anche minimo. Il motore di questi gommoni è molto piccolo e il serbatoio non può certo contenere il carburante per tutta la traversata, quindi vengono caricate a bordo taniche di carburante, che generalmente sono di plastica e non hanno un tappo a tenuta stagna.

Non è difficile immaginare che durante la navigazione, anche con mare calmo, una tanica si possa accidentalmente rovesciare o che ci siano delle fuoriuscite durante le operazioni di rabbocco del serbatoio. Il carburante fuoriuscito dalle taniche si deposita sul fondo, si diffonde con l'acqua salata che entra nell'imbarcazione per l'eccessivo sovraccarico, creando una miscela corrosiva e tossica. Gli indumenti di coloro che sono seduti diventano presto intrisi di questo mix, che comincia la sua azione corrosiva sulla pelle: nell'arco di qualche ora iniziano i primi segni di ustioni chimiche. Le sostanze presenti nel carburante proseguono la loro azione ustionante per ore e, associate alla pressione del peso corporeo, all'immobilità, alla presenza di urine e feci, causano lesioni anche gravissime.

La parte del corpo più interessata sono le gambe, i glutei, i genitali, e la profondità delle lesioni è direttamente proporzionale alla durata dell'esposizione. E così, quella che doveva essere la zona più sicura del gommone, dove alloggiare donne

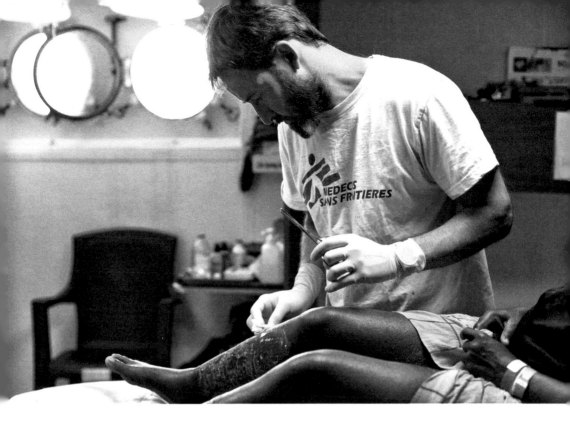

Kenny Karpov
Giugno 2018. I medici di MSF sull'Aquarius eseguono le medicazioni quotidiane per i pazienti che hanno subìto gravi ustioni da combustibile. Se non curate correttamente, queste ustioni possono causare dolori cronici e cicatrici orribili.

e bambini per proteggerli dalle cadute in acqua, si trasforma in una zona infernale, non di rado in una sorta di camera a gas a cielo aperto e, se la concentrazione del carburante fuoriuscito è alta, diventa mortale per l'azione delle esalazioni tossiche del benzene che non solo è mortale per le esalazioni ma viene anche assorbito attraverso la pelle. Ti puoi trovare ad affrontare casi di varia entità contemporaneamente: da ustioni di piccole dimensioni a grandi ustionati a decine di morti per intossicazione da benzene. E siamo stati chiamati taxi del mare…

Il dottor Pietro Bartolo, medico di Lampedusa che visita i migranti subito dopo lo sbarco, la chiama "la malattia dei gommoni", e tale definizione mi sembra molto appropriata.

Nel marzo 2018, a bordo della nave di soccorso Aquarius, la fotografa **Martina Bacigalupo** ha raccolto i ritratti e i racconti di queste donne, che hanno preferito mantenere l'anonimato a causa delle violenze subite e per proteggere i familiari rimasti in patria. I nomi sono di finzione.
Per conoscere le loro storie, msf.exposure.co/je-veux-juste-etre-une-femme-forte-une-femme-qui-ne-baisse-pas-les-bras.

Anita, 23 anni, dalla Liberia. La sua famiglia voleva farla sposare presto, mentre lei voleva studiare, ma prima di arrivare in Europa, dove avrebbe potuto realizzare il suo sogno, ha attraversato l'inferno di torture della Libia.

Alia, 22 anni, dalla Guinea, ha lasciato i suoi tre figli in patria per poter studiare in Europa.
Ha raggiunto Tripoli con un'amica di infanzia, Kadjatu, morta per le percosse e gli stupri subiti.
Anche lei voleva studiare e prima di morire ha affidato ad Alia la figlia di due anni.

Salam, 34 anni, dall'Eritrea, è laureata, ha lavorato come istitutrice ed è cristiana. Ha lasciato il suo Paese per sfuggire alle persecuzioni religiose e alla coscrizione obbligatoria.

Farida, 21 anni, dal Togo, è scappata da un Paese reso invivibile dall'instabilità politica e anche lei è stata vittima di violenze in Libia. È partita con la sorella, ma durante il viaggio ha perso le sue tracce.

Kate, 32 anni, dalla Costa d'Avorio, è sopravvissuta a sei mesi di maltrattamenti e torture in Libia inseguendo il suo sogno di pace, lavoro e libertà. Ora che è in Europa spera di riuscire a farsi raggiungere dai figli piccoli.

Brutalmente circoncisa a 12 anni e abbandonata dal compagno dopo un aborto spontaneo, Audrey, 29 anni, della Costa d'Avorio, sogna un impiego da sarta, una famiglia e una vita normale in Europa. Prima della traversata in mare, per mesi ha subìto violenze in un lager libico.

Aida, 41 anni, dalla Libia, è scappata dal clima di violenza nel suo Paese dopo che il marito è stato accoltellato per strada e rapito. Ha sacrificato tutti i suoi risparmi per liberarlo. "Ho dovuto scegliere se morire in mare o morire uccisa per strada. E ho scelto il mare".

Rim, 24 anni, siriana, si è trasferita con la famiglia in Libia nel 2011. Anche lei, come Aida, è stata costretta a fuggire dal crescente clima di violenza incontrollata nel Paese.

Nilufer Demir
Bodrum, Turchia, 2 settembre 2015.
Il corpo senza vita di Alan Kurdi, siriano di tre anni, riverso sulla spiaggia. L'imbarcazione su cui Alan viaggiava è affondata mentre raggiungeva l'isola greca di Kos. Migliaia di rifugiati e migranti sono giunti ad Atene il 2 settembre, mentre i ministri greci discutono della crisi, e l'Europa cerca di far fronte all'enorme afflusso di persone in fuga dalla guerra e dalla repressione in Medio Oriente e in Africa.

Sotto i riflettori

La foto di Alan Kurdi, il bambino siriano il cui corpo fu trovato senza vita il 2 settembre 2015 sulla spiaggia di Bodrum in Turchia, ha forse avuto la stessa potenza della foto che ritrae il bambino con le braccia alzate durante il rastrellamento del ghetto di Varsavia, la stessa potenza della foto di Kim Phúc che fugge dopo il bombardamento al napalm del suo villaggio in Vietnam.

Alan non è un bambino con ventre gonfio e vestiti laceri, che mostra subito un altro mondo, un mondo per cui ci addoloriamo ma che abbiamo l'illusione che non ci appartenga. Alan è vestito come un bambino europeo della sua età, questo ha accorciato le distanze e ci ha dato la consapevolezza che quella morte poteva essere evitata. Ci siamo sentiti coinvolti e responsabili.

In genere, le foto di bambini morti suscitano strazio e lo strazio rende immobili, pietrifica, annulla ogni possibilità di azione concreta. È solo sofferenza, lutto ed elaborazione del lutto. Ma con Alan non è andata così. La sua morte è sembrata una morte terribilmente calda: morire per aver tentato una traversata di pochi chilometri di mare ci ha dato la prova che si muore a causa della nostra immobilità, della nostra incapacità di esprimerci su cosa sia giusto e cosa sbagliato; della nostra paura di perdere ciò che abbiamo, a causa della convinzione, priva di fondamento, che aiutare possa renderci più poveri. La fotografia del corpo di Alan Kurdi ha portato alcuni Paesi europei, tra cui la Germania, sull'onda della commozione, a creare corridoi umanitari per accogliere i profughi in fuga dalla guerra in Siria. Ma oggi non c'è più traccia di quella commozione e non c'è stato nes-

Nilufer Demir
Bodrum, Turchia, 2 settembre 2015.
Un ufficiale della polizia turca trasporta il cadavere di Alan Kurdi.

sun cambiamento strutturale nelle politiche di accoglienza
dell'Europa.

Se tutto viene dimenticato in fretta, anche la morte di
un bambino, che valore ha la testimonianza? Qual è la sua
funzione? Le fotografie che testimoniavano cosa stesse accadendo nei campi di concentramento durante la Seconda
guerra mondiale avevano la forza di porre un argine alla
barbarie? Le testimonianze fotografiche dello sterminio di
massa di Pol Pot in Cambogia hanno forse fermato quella
tragedia? Le foto delle torture in Iraq hanno forse fermato
le guerre in Medio Oriente? No, certo che no. Però, chi

Nick Út Route 1, Vietnam, 1972.
Phan Thi Kim Phúc fugge dopo il
bombardamento al napalm del suo
villaggio.

Anonimo Varsavia, Polonia, 1943.
Il rastrellamento del Ghetto di
Varsavia.

Kevin Carter Sudan, 1993.

sa riconoscere nello sguardo delle vittime del
passato lo sguardo di ogni essere umano cui
oggi vengono sottratti documenti, diritti e
felicità sta impedendo che l'orrore possa ri-
petersi.

**Sudan, 1993. Kevin Carter fotografa
un bambino** in evidente stato di denutrizione. Dietro il bambino c'è un avvoltoio; aspetta che la sua preda muoia per cibarsene. Kevin Carter, con questa foto, nel 1994 vince il
Premio Pulitzer e lo stesso anno si suicida la-
sciando questo messaggio: "Sono depresso…
Senza soldi per l'affitto… Senza soldi per i
bambini… Senza soldi! Sono ancora vividi i
ricordi di quello che ho visto: bambini denu-
triti, violenza per le strade, stupri perpetrati
dagli stessi poliziotti che dovrebbero portare
la giustizia. Io me ne vado…".

Il bambino della foto non è morto, di lui
si occupava la Ong Medici del Mondo, ma
l'uomo bianco, testimone dell'inferno, non è
sopravvissuto all'orrore.

**E se la fotografia ci permette di mo-
strare il dramma** in maniera assai più diretta rispetto alla parola, come la parola è
sottoposta a un'opera di continua delegittimazione. Si prova a smascherare presunti ri-
tocchi o falsificazioni, a metterne in dubbio
l'autenticità, a trovare contraddizioni rispetto
al racconto carico di menzogne che viene fatto. Accade così che lo smalto sulle unghie di
una migrante che ha visto l'inferno in terra,
diventi, per gli odiatori di professione, prova

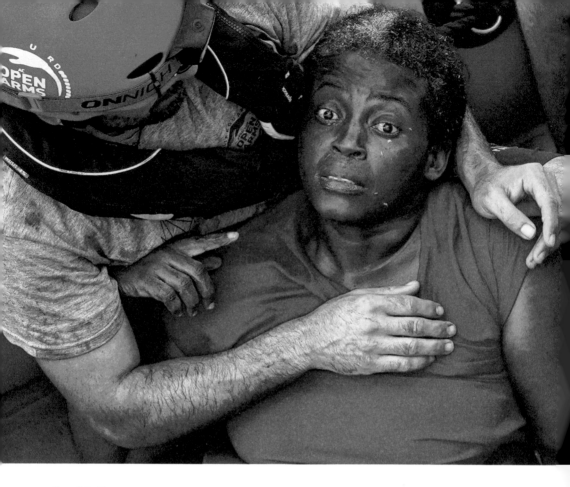

Juan Medina
Mediterraneo centrale, 17 luglio 2018.
Un membro dell'equipaggio della nave della Ong Proactiva Open Arms abbraccia Josefa dal
Camerun; è stata portata a bordo in uno stato di profondo shock e dopo una notte passata
aggrappata al relitto, cantando inni e invocando Dio.

della inautenticità della sua sofferenza, un modo per dire:
"Vedete? È tutto falso, in Libia non si soffre, in mare non
si muore".

Il 17 luglio 2018, la Ong Proactiva Open Arms trova in mare una donna e un bambino privi di vita, con loro
c'è un'altra donna ancora viva, ma in evidente stato di ipotermia, il suo nome è Josefa. La Ong denuncia l'omissione
di soccorso da parte della Guardia costiera libica che, nel
recuperare i migranti a bordo di un gommone, avrebbe ab-

Juan Medina
20 luglio 2018.
Un membro della Ong Proactiva Open Arms tiene la mano di Josefa.

bandonato in mare le due donne e il bambino che probabilmente si erano rifiutati di salire a bordo per essere con-
dotti di nuovo in Libia. Non solo, avrebbe anche distrutto
il gommone su cui i naufraghi avrebbero potuto trovare
riparo dalle onde. Josefa viene dal Camerun ed è rimasta
due giorni in mare attaccata a un pezzo di legno prima che i
volontari di Open Arms la salvassero. Le sue prime parole,
una volta arrivata in Spagna, sono state: "Pas de Libye, pas
de Libye".

Il caso Diciotti

Il 16 agosto 2018 l'imbarcazione della Guardia costiera italiana Ubaldo Diciotti soccorre in acque internazionali, al largo dell'isola di Malta, 190 naufraghi. Per ragioni sanitarie 13 persone vengono fatte sbarcare d'urgenza a Lampedusa, mentre la nave, con 177 migranti rimasti a bordo, si dirige verso il porto di Catania, dove arriva il 20 agosto. Il Ministro degli Interni Matteo Salvini autorizza lo sbarco dei migranti solo il 26 agosto, ovvero 5 giorni dopo l'arrivo a Catania. La nave della Guardia costiera italiana è stata ostaggio del governo italiano, che ha usato il suo carico umano per contrattare con l'Europa la spartizione dei migranti. Si è trattato di un braccio di ferro avvenuto sulla pelle di chi, dopo aver lasciato i campi di prigionia libici, ha rischiato di morire in mare.

La legge italiana prevede che un soggetto possa rimanere nella disponibilità della polizia giudiziaria (tale è la Guardia costiera) per un termine massimo di 48 ore. Trascorso questo tempo, senza la convalida di un giudice, siamo al cospetto di un sequestro di persona: ecco perché la Procura di Agrigento apre un fascicolo sulla vicenda e iscrive Matteo Salvini nel registro degli indagati. Ma dal momento che il reato contestato a Savini è stato compiuto nello svolgimento delle sue funzioni, il fascicolo viene trasmesso al Tribunale dei Ministri di Palermo che contesta al Ministro il sequestro di persona aggravato. Successivamente, per competenza territoriale, il fascicolo viene trasmesso al Tribunale dei Ministri di Catania, che rigetta la richiesta di archiviazione avanzata dalla Procura di Catania (guidata da Carmelo Zuccaro).

Il 23 gennaio 2019 il Tribunale dei Ministri di Catania, con l'accusa di sequestro di persona aggravato dall'abuso di potere, trasmette al Senato la richiesta di autorizzazione a procedere contro il Ministro degli Interni Matteo Salvini.

Enri Canaj
Catania, 14 luglio 2017.
In molti attendono di sbarcare dalla nave, diretta al porto di Catania, dopo un'operazione di salvataggio nel Mediterraneo.

Il 20 marzo 2019 il Senato respinge l'autorizzazione a procedere.

Fin qui la fredda cronaca, che non ha volutamente tenuto conto di un dato imprescindibile: quando si prende una persona dal mare, quella persona non ha nazionalità, nome, età e colore. È un naufrago e lo si deve portare a terra come stabiliscono almeno tre convenzioni internazionali cui l'Italia ha aderito (Montego Bay, Solas e Sar). Queste convenzioni, oltre a umanità e buon senso, avrebbero imposto l'individuazione immediata di un *place of safety*: le persone che si trovavano a bordo della Diciotti andavano fatte sbarcare perché non si trattava di migranti, ma di persone tratte in salvo in mare, e lo sbarco, nelle operazioni di salvataggio, prescinde dalla volontà del singolo: è legge e dovere dello Stato italiano. Per di più i naufraghi sono vittime e non carnefici, e la differenza è enorme.

Qualche giorno dopo l'arrivo in Italia della Diciotti, Massimiliano Coccia e Andrea Billau raccontano su Radio Radicale le strazianti vicende di alcuni di loro.

John, profugo eritreo di 22 anni, era sulla Diciotti e, come molti suoi compagni di viaggio, in larga parte eritrei, è stato accolto dalla Chiesa italiana, sul suolo italiano. La sua testimonianza su ciò che ha vissuto in Libia ci permette di capire il dramma che vive chi parte per migliorare la sua condizione. John in Eritrea studiava, ma non ha ancora terminato la scuola quando viene prelevato per fare il servizio militare che, nel suo Paese, può durare anche molti anni. Così John decide di lasciare l'Eritrea, dove sa di non avere un futuro. Dall'Eritrea alla Libia ha dovuto pagare la traversata del Sudan. Il viaggio è costato diciassettemila dollari che non erano i risparmi della famiglia, ma frutto di una colletta tra parenti e amici: si investe su una persona giovane per provare a farle avere un futuro altrove e per avere qualcuno che possa aiutare chi resta in patria. Arrivato in Libia, John viene preso subito in consegna da trafficanti che pretendono da lui 5.000 dollari senza però farlo partire per l'Europa: lo rinchiudono invece sotto terra, dove rimarrà per un anno. È stato il periodo più nero della sua vita. Sedici ragazze hanno partorito in quelle condizioni, sotto terra. E io penso all'espressione "venire alla luce": John ha visto sedici bambini "venire alla luce" sotto terra, nel posto più lontano dalla luce che si possa immaginare. Nuove vite al buio di una detenzione illegale, forzata e inumana. I trafficanti estorcevano continuamente denaro e per spaventare usavano scariche elettriche. John non riesce a trovare le parole per descrivere l'inferno vissuto. Erano tutti libici gli aguzzini, senza divise, tutti armati. Armati anche quando portavano via le donne per violentarle senza che nessuno potesse reagire.

C'erano più di quattrocento persone in quella condizione: quattrocento persone da torturare, a cui estorcere denaro. Quattrocento persone disperate e spaventate. Quattrocento persone che subivano senza poter reagire. Per uscire dal bunker si pagava: migliaia di dollari per pochi minuti di aria, mai di libertà. Venti minuti. Non di più. Da quella situazione nessuno pensava di poter uscire vivo. Arriva la svolta: altri 2.500 euro per partire. Chi può pagare viene separato da chi non ha i soldi, per essere poi riuniti tutti e rivenduti a un nuovo trafficante che chiede altri 1.500 euro perché inizi davvero il viaggio in mare. Gli spostamenti avvenivano tutti di notte perché i migranti non dovevano essere visibili, eppure al porto non c'era nessuno: né polizia, né Guardia costiera libica. Solo trafficanti.

"Quando comincia il viaggio in mare – dice John – sai che quel viaggio è l'ultimo: o arrivi vivo o resti in mare". Morirai magari in mare, ma ci provi. Il tempo durante la navigazione non è buono, il motore dell'imbarcazione si spegne, poi si riaccende. Poi si avvicina una barca che li rifornisce di acqua e cibo. Giunti nei pressi di Lampedusa, vengono presi in carico dalla Diciotti e lì, nonostante quello che noi abbiamo vissuto dalla terraferma, nonostante l'indignazione e la rabbia per il "sequestro forzato", per i migranti finisce l'inferno e ricomincia la speranza. Sulla Diciotti, racconta John, stavano benissimo. Il personale era pieno di umanità, c'era da mangiare e il comandante "è stato come un padre". Quando John è partito dall'Eritrea non credeva di avere scelta, ma non aveva idea dell'inferno libico. Ora vuole solo ricominciare ovunque ci sia pace ed è pieno di gratitudine, gratitudine verso l'Italia e gli abitanti di Catania. Dalla Diciotti, guardando a terra, guardando il nostro Paese, John vedeva persone che erano lì per loro, per difendere i loro diritti e per accoglierli. Dalla Diciotti guardava l'Italia e riusciva a leggere, distintamente, una parola semplice, una parola universale: WELCOME!

Anche Mahdi è un profugo eritreo, ha 26 anni, e anche lui è arrivato in Italia sulla Diciotti. Dall'Eritrea all'Italia, passando per l'Etiopia, il Sudan e la Libia, Mahdi ha impiegato quattro anni. Parte senza sapere cosa lo aspetta, lascia l'Eritrea credendola una scelta obbligata. Le famiglie non riescono a fermare chi decide di andar via perché sanno che in patria non si vive, si sopravvive. Lungo il tragitto, di centri di accoglienza Mahdi ne troverà diversi. Hanno questo in comune: poca acqua, poco cibo e maltrattamenti. In Etiopia Mahdi resta un anno, da lì riesce a partire pagando i trafficanti. Se hai fortuna paghi una sola volta, se non ne hai paghi e vieni venduto ad altre bande di trafficanti. Talvolta i gruppi di trafficanti si scontrano, nascono conflitti a fuoco e i migranti vengono contesi, se sopravvivono. Mahdi paga due volte: viene rapito e tenuto prigioniero per due mesi. Paga cinquecento dollari e viene portato a Khartum, la capitale del Sudan. A Khartum rimane due anni, decide quasi di restarci, ma non ha documenti e deve pagare ogni due mesi per rinnovarli. Prosegue il viaggio e cerca persone che possano portarlo in Libia. Non è facile trovare il canale giusto, posto che esista davvero. Più facile è, invece, trovarsi di nuovo in balìa di organizzazioni il cui scopo è estorcere a ogni migrante fino all'ultimo dollaro che le famiglie, in patria, sono in grado di racimolare.

E qui arriva il racconto, fondamentale, che spiega come sia possibile che i migranti in viaggio riescano a pagare i riscatti. I migranti restano in contatto con le loro famiglie. Per le bande di trafficanti questo contatto è essenziale, perché durante le telefonate a casa picchiano e torturano i migranti in modo tale che le famiglie ascoltino le urla di dolore. Chi sta all'altro capo del telefono, preso dall'angoscia, fa il possibile per mettere insieme il denaro. Le detenzioni durano molti mesi perché molto tempo occorre alle famiglie per trovare i soldi e molto per farli arrivare. Questo passaggio è essenziale, spiega un meccanismo poco conosciuto e ci mette di fronte a un dramma che lascia senza parole: le sofferenze subite da chi lascia il proprio Paese sono sofferenze che durano anni.

Dal Sudan alla Libia Mahdi impiega un mese e mezzo. In Libia viene rinchiuso in attesa che arrivino i soldi per il riscatto, passeranno cinque o sei mesi: finché non paghi resti chiuso, se paghi puoi prendere aria. Mahdi ha vissuto in uno stanzone stipato di persone, dove mancava l'aria, eppure dice: "Sono fortunato, non sono mai stato sotto terra". E poi c'erano le torture al telefono con le famiglie, per far arrivare i soldi. Dopo aver pagato, Mahdi resta ancora per qualche mese vicino al mare, dove per partire bisogna raggruppare un numero cospicuo di migranti.

Ammassati su una piccola imbarcazione, in tanti, mare agitato, inizia la traversata. Si rischia di affondare. Mancano acqua e cibo. A metà strada Mahdi crede che finirà lì e invece arriva la Diciotti a salvarlo, a salvare tutti. "Ci hanno salvato la vita, vedi gente con il viso sorridente, non sai come dire grazie", e continua: "Il capitano della nave è stato grande: ci ha detto io sono sempre con voi, tanta gente sta con voi, cominciando da me".

Ecco, questi sono i ritratti delle persone che l'Europa non vuole e che considera pericolosi invasori.

Un altro passo esiste

Siamo stati il continente del Muro che divideva col cemento armato una città, una nazione, due mondi, due mercati. La caduta del Muro di Berlino aveva fatto in modo che l'Europa trovasse altre certezze. Non costruiremo più cittadelle perché si creino assedi, si era detto, e la libera circolazione e la protezione dei confini si misurerà con il diritto, con lo scambio e non con le barricate. Eppure tutto è miseramente crollato. I muri si sono moltiplicati. Le barriere di separazione tra Grecia e Turchia, tra Bulgaria e Turchia, tra Ungheria e Serbia; i muri africani di Ceuta e Melilla in Marocco. E proprio l'Ungheria, simbolo di resistenza ai muri, Paese in grado di forzare quel muro terribile che il socialismo reale aveva costruito per costringere i propri cittadini a vivere in stati-caserma, è diventata essa stessa fortezza, è diventata anti Europa.

"Gli extraeuropei ci svelano che noi siamo diventati ex europei", dice Lucio Caracciolo e questo accade perché mostriamo di aver dimenticato il comune patrimonio culturale fondato sulla difesa dei diritti umani, sull'uguaglianza di tutti davanti alla legge, sull'inviolabilità della dignità umana e sull'importanza di essere consapevoli e responsabili per le nostre azioni e per le nostre parole.

Abbiamo finito col credere che essere europei sia un privilegio dovuto al caso, all'essere nati dalla parte giusta del mondo, ma non è così e ve lo dimostrerò.

Si diventa europei con un milione di euro, proprio così. Non si tratta di nascere dalla parte giusta o sbagliata del mondo, ma di nascere piuttosto nella classe sociale giusta o sbagliata, nel territorio con maggiori o minori possibilità. Sì, perché la cittadinanza è in vendita, la cittadinanza si può comprare. Come? Semplice: dal 2014, grazie al programma di Citizenship by Investment, Malta vende a un milione di euro circa il suo passaporto; Malta è in Europa, quindi con un milione di euro si diventa cittadini europei.

Questo dimostra come l'Europa non sia per nulla spaventata dall'elargizione della propria cittadinanza e dei diritti cui dà accesso, ma che ha deciso di fare una scelta, e la scelta è di far entrare i capitali più compromessi attraverso porte disseminate in ogni angolo nel continente: Malta, Londra, Liechtenstein, Andorra, San Marino. Qui arrivano soldi da tutto il mondo, dalle aziende che vogliono eludere il fisco ai cartelli del narcotraffico: soldi sporchi che vengono ripuliti e reinvestiti. I confini d'Europa sono ben aperti se si tratta di accogliere capitali criminali, ma rimangono serrati per gli esseri umani.

Ciò significa che la via clandestina del mare è generata da una scelta politica, quella di chiudere ogni possibilità ai visti di lavoro dati ai Paesi africani per l'Europa. Ma chiudere gli accessi legali significa aprire decine di accessi illegali.

"Noi siamo una casa di riposo di fronte a un giardino per l'infanzia", così Emma Bonino ha definito l'Europa che guarda l'Africa, attribuendo centralità al lavoro. Hanno declinato spesso questa analisi come la pretesa che il "mondo ricco" ha nei riguardi del "mondo povero" di ottenere forza lavoro a basso costo, ed è proprio qui che si crea il cortocircuito. A chiunque arrivi in Europa va garantito l'ingresso legale perché abbia una collocazione legale nel mondo del lavoro.

Non ci rendiamo conto che boicottare l'estensione dei diritti a chi arriva significa perdere i diritti acquisiti in Europa: permettere che in Europa ci possa essere anche una sola persona che lavora senza diritti, significa boicottare i diritti di tutti i lavoratori europei che sempre più vedranno erodersi le garanzie sociali acquisite in decenni di battaglie.

"Cercavamo braccia, sono arrivati uomini" scrisse Max Frisch, raccontando degli italiani emigrati in Svizzera. Il punto è proprio questo: il modo in cui accogliamo gli uomini e le donne che arrivano in Europa determina ciò che decidiamo di essere. Perché tra noi e loro non esiste alcuna differenza, alcuna separazione. Sarebbe come scindere in un corpo le braccia dalle gambe, il busto dalla testa, sradicare il cuore, il cervello.

E una terza via esiste. È la strada più difficile, certo, perché non dà un ritorno immediato in termini di voti. La terza via è una risposta politica vera: cambiare le leggi, non aggirarle, forzarle o infrangerle; creare canali di ingresso regolari per i rifugiati e per i migranti economici, in modo che chi arriva non sia ridotto in schiavitù.

Molti di noi fanno fatica a riconoscersi in questi tempi feroci che degradano ogni attenzione verso il prossimo a interesse personale. Molti preferiscono il silenzio per paura di essere delegittimati e isolati. Ma oggi più che mai è nostro dovere testimoniare, perché noi esistiamo al di là del consenso. Non siamo politici, non cerchiamo voti, non vogliamo vincere, semmai convincere. E anche se sottoposti a campagne di delegittimazione e di repressione infinita, l'unico tribunale a cui dovremo rispondere sarà quello della nostra coscienza.

Cosa ci ferma allora? L'inconsistenza di chi è contro di noi. Può sembrare un paradosso, ma è proprio così: ci scontriamo con slogan elementari, talmente facili da assimilare che entrano sottopelle e non ne escono più. Restano appiccicati addosso anche se sono palesi menzogne: "Taxi del mare", "La pacchia è finita", "Prima gli italiani", "Porti chiusi". Il nostro essere "difficili", le tante parole di cui abbiamo bisogno, il tempo che chiediamo e l'attenzione ci paralizzano al cospetto di tanta semplicità. Non riusciamo a contarci, ci sentiamo pochi, divisi, isolati, schiacciati. Sentiamo che il nostro agire non riesce a raggiungere il suo scopo. Sentiamo che, come nelle sabbie mobili, più ci muoviamo più la situazione ci sfugge di mano eppure, "[…] per quanto sapessero tutti che in epoche tremende l'uomo non è più artefice del proprio destino – ha scritto Vasilij Grossman in *Vita e destino* – e che è il destino del mondo ad arrogarsi il diritto di condannare o concedere la grazia, di portare agli allori o di ridurre in miseria, e persino di trasformare la polvere in lager, tuttavia né il destino del mondo, né la storia, né la collera dello Stato, né battaglie gloriose o ingloriose erano in grado di cambiare coloro che rispondono al nome di uomini; ad attenderli potevano esserci la gloria per le imprese compiute oppure la solitudine, la disperazione, il bisogno, il lager e la morte, ma avrebbero comunque vissuto da uomini e da uomini sarebbero morti, e chi era morto era comunque morto da uomo: è questa la vittoria amara ed eterna degli uomini su tutte le forze possenti e disumane che sempre sono state e sempre saranno nel mondo, su ciò che passa e su ciò che resta".

Bibliografia

Alessandro Leogrande, *La frontiera*, Feltrinelli, 2015

S. Allevi, *Immigrazione*, Laterza, Roma-Bari, 2018

B. Tertrais – D. Papin, *Atlante delle frontiere*, add editore, Torino, 2018

A. Ziniti – F. Viviano, *Non lasciamoli soli*, Chiarelettere, Milano, 2018

Aboubakar Soumahoro, *Umanità in rivolta*, Feltrinelli, Milano, 2019

Siti internet consultati

dossierlibia.lasciatecientrare.it

italy.iom.int

openmigration.org

www.dirittiglobali.it

www.integrazionemigranti.gov.it/

rapportiricercaimmigrazione

www.issm.cnr.it/it

www.migrantiefinanza.it

www.nigrizia.it

www.osservatoriodiritti.it

www.questionegiustizia.it

www.sipri.org

www.unhcr.it

www4.istat.it/it/immigrati

Progetti, studi, riviste, documenti

Internazionale

Limes – Rivista Italiana di geopolitica

Eurostat, *Asylum in the EU Member States 2017*

Human Rights Watch, *L'inferno senza scampo: Le politiche dell'Unione Europea contribuiscono agli abusi sui migranti in Libia*, gennaio 2019

ISMU, *Ventriquattresimo Rapporto sulle migrazioni 2018*

OSCE-ODIHR, *Hate Crime Reporting*

Save the Children, *Atlante Minori Stranieri Non Accompagnati in Italia 2018*

UNHCR, *Rescue at Sea. A Guide to Principles and Practice as Applied to Refugees and Migrants*

UNSMIL-OHCHR, *Desperate and Dangerous: Report on the Human Rights Situation of Migrants and Refugees in Libya*, dicembre 2018

Ringraziamenti

Difficile, in poche parole, esprimere la gratitudine che provo verso chi si occupa di immigrazione e si preoccupa non solo di aiutare chi parte, viaggia, arriva e decide di restare in Italia, ma anche di portare questo dibattito all'interno di un perimetro umano. Sì perché abbiamo sperimentato che, anche solo con le parole, si può essere profondamente disumani. E abbiamo la prova che le parole disumane possono fare vittime. Molte.

Ringrazio le Ong, tutte. Le ringrazio perché prendono sulle loro spalle, ovunque nel mondo, il destino di milioni di esseri umani, salvando loro e salvando allo stesso tempo noi.

Ringrazio Domenico Lucano, sindaco di Riace, per aver riempito di dignità la parola accoglienza. Ringrazio di cuore Emma Bonino, Massimo Bordin, Barbara Spinelli, Annalisa Camilli, Sergio Scandura, Aldo Masullo, Aboubakar Souma-horo, Francesca Mannocchi, Andrea Billau, Andrea Palladino, Nello Scavo, Diego Bianchi, Marco D'Ambrosio, Massimiliano Coccia, Loris De Filippi, Francesca Mapelli e Luca Casarini. Ringrazio *Avvenire*, Radio Radicale e *il Manifesto* perché sono un punto di riferimento costante su questi temi, sempre in prima linea. A causa dell'ottusità di un governo abituato a zittire il dissenso, a mistificare la realtà e a vincere con slogan, potrebbero non sopravvivere. Impegniamoci perché non accada. Il loro è un contributo prezioso cui la nostra democrazia deve moltissimo.